Be Blessed and Be Creative by Making Vivid Parables in the Bible

생생해진 성경 속 비유로 은혜받고 창의력 키우자

김공대 지음

UUP

생생해진 성경 속 비유로 은혜받고 창의력 키우자

■

- 2022년 08월 01일 **초판 발행**
- **지은이 김공대**
- **펴낸이 오연천**
- **펴낸곳 UUP**(울산대학교출판부) 680-749 울산광역시 남구 대학로 93(무거동) 울산대학교 출판부
- 전화 (052)259-2488 팩스 (052)277-3011 ▪ **홈페이지** http://uup.ulsan.ac.kr
- **출판등록** 제370-1996-000001호(1996.3.13)
- 13,000원

ISBN 979.11.6727.013.0 (93230)

차 례

감사기도

은혜롭고 사랑이 한량없으신 하나님 아버지,

제가 울산대학교 교수 재직 시 '비유법 문장 생성 장치 및 방법(제2081512 호)'이라는 제목으로 특허를 받게 하심을 감사드립니다. 이를 활용하여 음악, 미술, 시, 영화 등의 예술 작품을 참고자료로 하여 비유법 문장 시나리오와 동영상을 제작하여 '생생비유'라는 이름으로 유튜브에 올린 것도 감사합니다.

주님께서 씨 뿌리는 자의 비유나 천국 비유 등을 말씀하시면서 들을 귀가 있는 신자에게는 은혜가 더 넘치라고 말씀하셨습니다. 주께서는 저희 죄를 속량하시려고 그 크신 사랑으로 십자가를 지셨습니다. 저에게 언어학 달란트를 주시고 땅끝까지의 전도 차원에서 수많은 세상 사람이 보다 생생하게 주님의 비유 말씀을 이해하도록 신령과 진정을 다하여 생생비유로 바꿔보게 하시니 먼저 저 자신도 은혜받고 여러 성도들과도 공유하며 묵상하게 하시니 감사합니다.

안산동산교회 김인중 원로목사님의 축복기도와 울산대영교회

조운 담임목사께서 저의 생생비유 만들기가 아주 훌륭하다며 응원하서서 이에 용기를 얻어 신약성경 4복음을 중심으로 생생비유 만들기 작업을 시작하게 되었고 이를 영어로 번역하여 주님의 비유 말씀을 보다 생생하게 그려보게 하시니 참으로 감격스럽고 큰 은혜가 넘치옵니다.

이제는 이케야 조립 가구 제품처럼 생산자와 소비자가 제품을 함께 공유하는 프로슈머(prosumer) 시대인데 우리 크리스챤도 시편과 잠언 속의 비유를 각자 스스로 생생한 비유로 바꾸기 연습을 해볼 수 있게 되어 감사합니다. 본 훈련을 통한 답은 각자의 경험과 개성에 따라 다양한 답을 낼 수 있어서 유사성의 유추에서는 희로애락의 감성을 개발하고 차이점 분석에서는 창의력을 증진하게 해주시니 감사합니다.

앞으로 황금주 선생님을 비롯한 저희 팀이 이 책을 참고 자료로 삼아 동영상을 제작하여 어린이는 물론 어르신까지도 함께 시청하며 사고가 유연해지고 재미있고 활기찬 교실 수업이 되며 대학 입시의 창의적 글쓰기 논술시험에도 큰 도움이 되게 해주실 것을 믿고 예수님 이름으로 감사기도 드립니다. 아멘!

2022년 4월 19일

서울 강남구 개포래미안포레스트에서 김공대

제1장

비유 문장의 특성

비유법은 주관념을 보조관념에 빗대어 즉, 있는 그대로 말하지 않고 조금 둘러대어 표현하는 바 크게 환유법(metonymy), 제유법(synecdoche), 은유법(metaphor) 그리고 직유법(simile)으로 나누어진다. 최근 인지언어학자들은 위의 4가지 비유법이 이중으로 섞어져 은환유법(metaphtonymy) 등의 비유를 생성하기도 한다는 다양한 시각의 견해를 보이고 있다.

1.1 직유법

직유법은 비교되는 요소이며 표현하고자 하는 실제 요소인 원관념(tenor)의 대상을 "처럼"이나 "같이" 등의 비유법 연결어를 사용하여 비교하는 대상인 보조관념(vehicle)을 직접적으로 연결하여 "A는 B처럼(=같이)......하다"와 같이 비유한다.

[예1] '친구는 보약처럼(=같이) 든든하다.'

위의 예에서 '친구'라는 원관념은 '보약'이라는 보조관념을 직접적으로 연결하여 감성을 드러내는 형용사 '든든하다'로 유사성의 속성을 표현한다. 다만 이러한 유사점을 찾아내고자 우리는 희로애락의 감성을 주관념과 보조관념에 주입해 보는 감정이입(emphasizing) 과정과 공통점을 깊이 생각하여 심상화(imaging)하고 추상화하는 과정이 매우 중요하다.

1.2 은유법

위의 직유법에 비해, 나머지 세 가지 비유법은 비교하는 대상을 간접적으로 연결하여 그 특성 내지 특질을 표현하는 바, 의미 함축성(implicitness)의 정도는 제유법, 환유법 그리고 은유법의 순서로 점차 높아진다. 그리하여 "A는 B이다" 같은 은유법은 이미지화하여 새로운 창의적 의미를 만드는데 '비교되는 요소 A'에 '비교하는 요소 B'가 접근하여 유사성 뿐만 아니라 차이점까지 분석한 후 이 두 가지 속성을 다 이용하여 생생한 은유를 만드는 원리를 밝혀 주는 바 예를 들면 다음과 같다.

[예2] '친구는 보약이다.'

위의 예에서 '친구'라는 주관념은 '보약'이라는 보조관념을 간접적으로 연결한다. 즉, 유사점은 직유에서 밝힌 대로 '든든하다'이다. 그러나 그 외에도 우리 각자는 자기의 경험과 지식을 바탕으로 '힘이 난다'든지 '달콤하다''정겹다'등을 공통점으로 파악하여 다양한 생각을 말할 수 있다. 또 한편으로 두 사이의 차이점을 밝히려면 그 대비되는 기준점을 설정해야 한다. 예컨데, 시간, 장소, 양태, 특성 등등이다. 직유에서의 유사점 찾기와 마찬가지로 차이점 찾기에서도 깊이 생각하며 이메이징하기는 매우 중요한 창의적 과정으로 지금까지의 편견이나 고정관념을 과감히 탈피하여 우리의 사고를 매우 유연하게 해준다. 그리하여 마침내 차이점으로 '친구는 마음에 담기나 보약은 몸에 담긴다' 같은 답을 말할 수 있다. 이 유사점과 차이점 둘을 하나로 연결하여 생생한 은유 문장을 만들면 다음과 같다.

[예3] '**힘이 나는 친구**는 **마음에 담긴 보약**이다.'

이러한 차이점 드러내기는 유사점을 더욱 돋보이게 하여 은유를 매우 생생하게 만드는 천재적 생각의 언어 도구라 할 수 있다.

1.3 환유법

주관념 명사가 다른 종류의 보조관념 명사를 대신하여 사용하는 비유로서 둘 사이에 '원인과 결과', '상위 요소와 하위 요소' 혹은 '내용과 형태' 등등의 관계를 형성하는 경우 환유 문장이 된다. '원

*<u>은환유법(Metaphtonymy)</u>:

언어학자 루이즈 굿센스(Louis Goossens)가 그의 논문 'Metaphtonymy: The Interaction of metaphor and metonymy in expression for linguistic action (2002: 349-377)'에서 사용한 용어로서 '환유 내의 은유' 등 은유와 환유가 서로 섞어져 비유법이 될 수 있음을 시사하고 있다. 예를 들면 다음과 같다.

[예] '성명 후에 <u>항의(A)</u>의 <u>홍수(B)</u>가 쏟아져 들어왔다.'

주관념 '항의'와 보조관념 '홍수' 사이에 은유 관계로 '항의는 홍수이다'가 성립된다. 유사성은 '쏟아져 들어오다'이며 차이점은 '항의는 성명이 있은 후이며 홍수는 세찬 비가 있은 후이다'로 유추된다. 그리하여 A와 B는 서로 다른 종류의 명사로서 '항의'는 '인간적 공격'을 나타내며 '홍수'는 '자연적 공격'을 표현하여 이른바 '환유 내의 은유'형태로 비유하고 있다. 생생한 은유로 만들어 보면 다음과 같다

'쏟아져 들어온 항의는 성명 후 이어진 홍수이다.'

제2장

생생한 비유법 문장으로의 변형의 필요성

비유법의 필요성은 첫 번째로 비유법이 생각의 도구이자 다른 생각의 근간이 되기 때문이다. 비유법의 이미지화 훈련을 통해 우리의 사고와 언어 표현을 유연하게 하여 강력한 설득력과 적절한 표현력, 새로운 창의력을 기를 수 있는 게 가장 큰 장점이다.

두 번째로, 은유를 비롯한 비유법이 우리의 사고와 언어, 행위 그리고 학문과 예술을 구성하는 원초적 도구이다. 우리가 사용하는 언어는 항상 물리적이고 사회적 환경이 지닌 중요한 특성을 반영하며 우리 사회 문화의 기본적 가치들은 그 근본적 개념들이 은유적 구조와 긴밀한 결합을 갖는다. 이러한 비유법 사고는 우리의 정신적 삶에서 의식적이든 무의식적이든 정상적이며 편재적이다. 노랫말이나 시에서 사용되는 비유적 사고가 일상적 개념, 즉 시간, 사건, 인과관계, 정서, 윤리학, 사업 등에서도 나타난다. 그래서 은유를 비롯한 비유법을 잘 이해하는 것은 우리의 일상적 사고와 언어 그리고 사회·문화적 행위들을 이루는 정신적 면모를 잘 이해하는 것이다. 지난 20세기가 산업화와 전문 지식의 시대였다면 21세기

현재는 창의적 사고와 서비스의 시대다. 창의성과 표현력은 오늘날 우리의 교육과 경제, 사회를 움직이는 거대한 능력으로 부각되고 있다. 은유를 중심으로 한 비유법은 한 종류의 대상을 다른 종류의 대상의 관점에서 이해하고 경험하여 새로운 현실의 장을 열어줌으로써 의미를 변화시키거나 확장시키는 창조적 기능을 수행한다. 그러므로 범주화를 통해 생겨난 첫 번째 생각의 도구이며 다른 생각의 도구들의 모태이다. 그러므로 누구든지 비유법 만들기 학습과 훈련을 통해 생각의 도구를 능숙하게 다루도록 하는 일은 우리의 미래를 밝게 비쳐주는 현명한 길이다.

세 번째로, 부의 원천인 창조성과 상상력을 바탕으로 우리 현실의 여건과 장벽을 뛰어넘을 수 있는 신제품과 발명품을 생산하는 데 있다. 우리 국가 차원에서 보면, 국민 한 사람 한 사람이 질 높은 교육을 받아 배운 지식과 유연한 은유적 사고를 여러 학문과 기술·과학 연구에 적용하면 기발한 신제품과 발명품이 만들어져 대한민국의 고가의 브랜드가 되어 국가의 위상도 매우 높아질 것이다. 미국의 Stanford 대학의 저명한 경영학자인 톰 피터즈(Tom Peters)도 기업 성패를 좌우하는 것은 전략·조직구조·시스템이 아니라 바로 사람이며 특히 창의성과 상상력이라고 말한다. 이러한 상상력과 창의성은 우리 사회와 경제를 좌우하는 막강한 힘이 된다.

2.1 감성 개발

앞에서도 언급했지만 21세기는 서비스 시대이기 때문에 손님이 왕이다. 기업체는 고객을 왕처럼 맞이하고 서비스해야 그들에게 감동을 주며 진정한 고객이 되어 다시 찾게 된다. 한마디로 정성을 다하여 고객이 감격하여 순간적인 기절을 할 정도로 친절하고 깍듯하게 서비스해야 기업을 성공적으로 운영할 수 있다. 교회도 예외가 아니어서 대형 백화점 직원들이 90도 각도로 허리를 굽혀 절을 하며 손님을 미소로 맞이하는 것을 보고 배워서 유니폼을 입은 새신자반 성도들이 새 신자들이 오면 밝고 환한 미소로 대환영을 하면서 자리 안내를 하여 교회의 첫인상을 매우 좋게 해주고 있다.

이러한 감성 개발은 우리 생생한 비유 만들기 중 직유에서 주관념과 보조관념 사이의 유사점을 밝힐 때 시각, 청각, 촉각, 후각, 미각 등 오감을 총동원하기 때문에 수많은 희로애락 표현의 형용사를 양산하면서 우리의 심상에 큰 영향을 주고 감성을 민감하게 해주기 마련이다. 그리하여 감성이입을 통해서 음악가는 노래하거나 악기를 연주하고 탈렌트는 고난도 장면을 멋진 감성을 발하여 연기를 하여 시청자들을 매료시키는 것이다. 아래 [도표1]에서 보듯 유사성 유추 과정에서 나오는 감성지수(EQ)는 은유를 지탱하는 두 기둥 중 하나의 역할을 감당하고 있다.

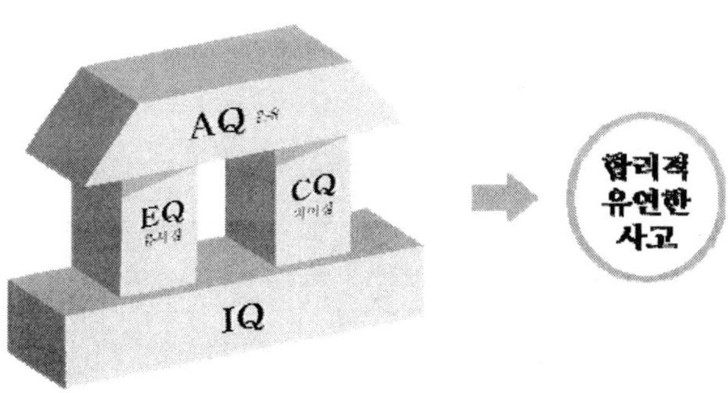

[도표 1]

2.2 창의력 개발

세계적인 IT 기업 애플을 창업한 미국의 스티브 잡스는 1996년 와이워드지와의 인터뷰에서 창의력에 대해 다음과 같이 언급한바 있다.

> "① Creativity is just connecting things. When we ask creative people how they did something, they feel a little guilty, because they didn't really do it, ② they just saw something. It seemed obvious to them after a while, that's because they were able to ③ connect experiences they've had and ④ synthesize new things."
>
> [① 창의력이란 단지 사물을 연결시키는 것이다. ... 창의적인 사람들은 진정 창조적인 무엇을 한 것이 아니라 단지 ② 무엇인가를 봤을 뿐이기 때문입니다. 얼마 후 그들은 자신이 ③ 겪은 경험들을 연결해서 ④새로운 것을 합성해 낸 것이 분명해 보였습니다.]

필자는 서울대(프랑스어문교육, 2011) 게재 논문 '프랑스어 은환유법 담화의 역동성 특성 ' 집필 중 위의 인터뷰 내용을 접하고 그 당시 생각하고 있던 은유 생성과정 4단계가 스티브 잡스의 창의력 생성과정과 매우 유사함을 발견하게 되어 이를 계기로 삼아 특허로 '비유 문장 생성 방법과 장치(제2081512호)'를 따게 되었다.

이러한 검토를 통해 저의 '생생비유'시제품이 창의적 역량을 키우는 합리적이고 객관적인 근거를 마련하게 된바 양쪽을 비교하면 다음 [도표2]와 같다.

생성 단계	스티브 잡스의 창의력 생성과정	생생한 은유의 생성과정
1단계	사물의 연결	① 사물 명사 두 개를 제시하여 연결 [예: **독서**는 **보약**이다.]
2단계	무엇인가를 봄.	② 공통점이나 비슷한 점을 이미지화하며 봄 [**유익하다; 뿌듯하다** 등등]
3단계	겪은 경험들을 연결	③ 경험과 지식의 범주화로 차이점 찾기 [독서는 정신에 좋으나 보약은 몸에 좋다.]
4단계	새로운 것을 합성해 냄	④ 유사점과 차이점을 합성하여 생생한 새 은유를 생성해 냄 [마음이 뿌듯해지는 독서는 정신에 좋은 보약이다.]

[도표2]

그런데 사물 명사 간에는 은유 생성이 어렵다는 고정관념에서 탈피하여 생생한 은유법의 무한정 생성과 은유적 사고의 유연성을 통하여 감성과 창의력과 표현력을 향상시켜 우리 아이들을 영재와 천재로 양육할 수 있다. 예를 들면 다음과 같은 사물 명사들이 그 예이다.

[예10] '피아노(A)는 보트(B)이다.'

위의 [예10]에서 두 사물 피아노와 보트 사이에는 은유 관계 성립이 쉽게 이해가 안 되어 우리의 생생 비유 만들기 원리로 분석해 보면 다음과 같다.

'피아노는 보트이다.'	
유사점	'리듬을 탄다'[피아노는 연주 리듬을 타고 보트는 파도 리듬을 탄다]
차이점	'피아노는 연주 무대 위에 있고 보트는 바다에 떠 있다'
생생 은유	'리듬을 타는 피아노는 무대 위에 있는 보트이다'

물론 사물 명사의 경우 'A=B'이면 'B=A'도 성립하므로 '보트(B)는 피아노(A)이다'는 다음과 같은 생생한 은유를 만든다.

[예11] '리듬을 타는 보트(B)는 바다에 떠 있는 피아노(A)이다.'

이러한 분석을 통하여 은유를 떠받치는 두 기둥인 감성지수(EQ)와 창의지수(CQ)가 은유를 생생하게 만드는 중요한 역할을 떠맡고 있음을 위의 [도표1]에서 참고할 수 있다.

미국 뉴욕대학교 리차드 플로리다 교수가 최근에 개발한 '세계 창의력 지수(World Creativity Index)'를 참고하면 우리 한국은

BRICS 139개국 중 31위이다.

그의 창의력 지수 하위 구조는 3T로서 Technology(기술), Talent(재능), Tolerance(사회적 관용) 인바 우리 한국은 자동차, 선박, 전자제품 등을 통한 기술 지수는 세계 1위인데 비해 재능 지수는 50위인바 이를 만회하고자 우리는 '창의반'을 개설·운영하여 1대1로 혹은 소수 그룹과 소통하며 교사와 학생 간에 역할극이나 퀴즈게임 등으로 창의적 태도와 역량을 개선하여 재능 지수를 높일 계획이다. 또한 세계 70위인 사회적 관용 지수도 개선하고자 본 생생 비유 아이템의 영어와 중국어를 비롯한 외국어 버전을 통해 상호 문화를 이해하고 의견과 사고도 존중하여 관용을 베풀어 습관화함으로써 창의력지수 최상위권인 미국, 오스트렐리아, 북유럽 국가들과 같은 교육과 경제 선진국이 될 수 있다. (아래 도표3 참조)

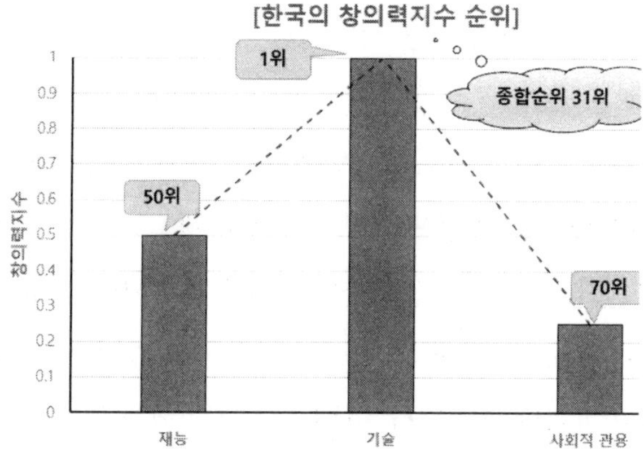

[도표3]

한편으로 대학입시에서 수험생의 창의적 사고를 측정하고 대학 수학 과정 중 참된 진리와 원리를 찾아내는 역량을 갖도록 논술고

사를 치르고 있다. 두 개 이상의 단락을 상호 비교하고 유추하게 하거나 차이점을 대비시켜 분석하는 창의적 글쓰기는 우리의 생생비유 만들기 방법을 따라 초등학교부터 창의적 독서 교육과 훈련을 병행하면 시험 준비에 많은 도움이 될 수 있다고 여겨진다.

2.3 예수 그리스도의 비유 말씀 이해

예수 그리스도께서는 평이한 일상사를 통해 천국에 관한 심오한 진리를 비유로 제시하셨다. 물론 신자는 들을 귀가 있어 비유가 진리의 이해에서 가까운 역할을 하여 천국 비유가 더 명료해지고 신비로웠으나 비신자에게는 보아도 보지 못하고 들어도 듣지 못한다고 책망하시며 비유가 오히려 진리 이해에서 멀다고 하시며 진리를 덮어버리셨다(마태 13:11-13).

그러나 하나님은 만민을 사랑하시기에 우리에게 언어를 허락하셨고 이 언어를 통해 주님의 진리의 말씀을 더 잘 이해하시길 원하신다고 믿는다. 이제라도 생생한 비유 만들기 원리를 활용하여 주님의 비유 말씀을 최선을 다하여 생생하게 그려보며 이해하도록 하자. 우리가 조심할 것은 말씀의 본질은 하나이나 그 응용은 여러 길이 있다고 신학자들이 말하기에 성경 해석의 일관성 유지에 최선을 다해야 한다는 점이다. 그래서 우리의 생생한 직유와 은유 만들기 원리가 성서에 일관되는 사상을 유지시키면서 응용의 여러 길을 매우 생생하게 제시하여 목회자들뿐만 아니라 성도들 심지어 일반 독자들에게도 유익하게 사용되리라 믿는다.

제 3장

신약 성경 속의 직유와 은유

먼저 신약 성경 4복음부터 시작해 볼 텐데 분석 결과의 정답이 하나만 있는 것이 절대 아니고 각자의 경험과 개성에 따라 다양한 생각이 나올 수 있다. 한마디로 우리 생생 비유는 개성과 다양성을 존중하고 이를 지향하는 창의적 교육이다.

3.1 마태복음

(1) 5장 13절 : "너희는 세상의 소금이니..."

'너희' 다음에 '신자'를 넣어 볼 수 있는 은유 문장이다. 그러면 '너희 신자'는 주관념이고 '소금'은 보조관념이다. 먼저 두 사이의 유사점을 생각해 보자. 잠시 머리 속에 그려보며 심상화하는 시간을 가진 다음 답을 말한다.

1)'썩음을 방지한다'; '2)맛을 돋운다'; '3)정결케 한다'; '4)희생

한다' 등등 다양한 의견이 나온다.

두 번째로 두 사이의 차이점을 생각해 보자. 대비하는 기준점은 시간, 장소, 특성 등인 바 차례대로 대비하며 여유를 갖고 생각한 후 대답해 본다.

1) 신자는 사회 부패를 방지하나 소금은 음식 부패를 방지한다;
2) 신자는 영성을 맑게하나 소금은 음식을 맛있게한다;
3) 신자는 부정을 청소하나 소금은 부패물을 청소한다;
4) 신자는 자기 자신과 소유를 드려 희생하나 소금은 스스로 녹아져 희생한다 등등이다.

이제 유사점과 차이점을 다음과 같은 순서로 주관념의 수식어로 삼아 생생한 은유로 만들어 보자.

[공통 유사점] + [주관념] + [차이점] + [보조관념]

1) 썩음을 방지하는 신자는 사회 부패를 막는 소금이다.
2) 맛을 돋우는 신자는 영성을 맑게 하는 소금이다.
3) 정결케하는 신자는 부정을 청소하는 소금이다.
4) 희생하는 신자는 자신과 소유를 드리는 소금이다.

이상과 같이 네 가지 이상의 여러 다양한 표현으로 생생한 은유를 만들 수 있음을 알 수 있다.

(2) 5장 14절 : "너희는 세상의 빛이라"

위에서 행한 분석 순서대로 '너희' 다음에 '신자'를 넣어 다음과 같이 표를 만들어 진행해 보자.

'너희는 세상의 빛이라'	
유사점	1) 밝게 한다; 2) 따뜻하게 한다; 3) 살균한다; 4) 결실케 한다
차이점	1) 신자는 마음을 밝게 비추나 빛은 세상을 밝게 비춘다. 2) 신자는 마음을 따뜻하게 하나 빛은 몸을 따뜻하게 한다. 3) 신자는 범죄를 살균하나 빛은 병균을 살균한다. 4) 신자는 영적 성숙을 시키나 빛은 농산물을 결실케 한다.
생생 은유	1) 밝게 하는 신자는 마음을 비추는 빛이다. 2) 따뜻하게 하는 신자는 마음을 녹이는 빛이다. 3) 살균하는 신자는 범죄를 없애는 빛이다. 4) 결실케 하는 신자는 영적 성숙의 빛이다.

이상과 같이 4개의 생생한 은유가 생성되었다. 독자 여러분도 이보다 더 많은 다른 생각을 제시할 수 있을 것이다.

(3) 6장 23절 : "눈은 몸의 등불이니...."

일단 주관념인 '눈'에 '몸'이라는 차이점이 수식어로 제시된 은유이므로 보조관념 '등불'에 이와 대비되는 점으로 작게는 '방'을 크게는 '바다' 등을 제시할 수 있다.

'눈은 몸의 등불이다'	
유사점	1) 보고 감지한다; 2) 비추어 바라본다
차이점	1) 눈은 몸에 있으나 등불은 방 안에 있다. 2) 눈은 마음을 비추나 등불은 실내를 비춘다.
생생 은유	1) 보고 느끼는 눈은 몸의 등불이다. 2) 바라보는 눈은 마음을 비추는 등불이다.

위와 같이 두 개의 생생한 은유를 만들어 보았다.

(4) 7장 24절 : "**나의 말을 듣고 행하는 자**(A)는 그 **집을 반석 위에 지은 지혜로운 사람** (B) 같으리니"

'A는 B 같다'라는 직유 문장인데 두 명사 사이의 유사점인 '지혜롭다' 이외에도 다양한 유사점을 밝혀내어 생생한 직유로 만들 수 있다.

'나의 말을 듣고 행하는 자는 그 집을 반석 위에 지은 **지혜로운** 사람 같으리니'	
유사점	1) 순종적이다; 2) 백절불굴이다; 3) 믿음이 굳세다
생생 직유	1) 나의 말을 듣고 행하는 자는 그 집을 반석 위에 지은 순종적인 사람 같으리니 2) 나의 말을 듣고 행하는 자는 그 집을 반석 위에 지은 백절불굴의 사람 같으리니 3) 나의 말을 듣고 행하는 자는 그 집을 반석 위에 지은 굳센 믿음의 사람 같으리니

(5) 10장 16절 : "보라 <u>내가 너희를 보냄(A)</u>이 <u>양을 이리 가운데 보냄(B)</u>과 같도다..."

주관념 (A)는 '내가 너희를 [세상에] 보냄'인바 이를 (B)의 보조관념에 빗댄 직유이다. 그러므로 '양'과 '이리'의 속성을 파악하여 A와 B의 유사점을 생각해 보자. 양은 순종하고 순한 동물이나 이리는 포악하고 사나운 동물이므로 양을 이리에게 보내면 찢겨 죽기 마련이다.

<table>
<tr><td colspan="2"><u>내가 너희를 보냄(A)</u>이 <u>양을 이리 가운데 보냄(B)</u>과 같도다.</td></tr>
<tr><td>유사점</td><td>1) 죽임을 당함, 2) 강자에게 정복당함</td></tr>
<tr><td>생생 직유</td><td>1) 내가 너희를 보냄이 양을 이리 가운데 보내어 <u>찢겨 죽임</u>과 같도다.
2) 내가 너희를 보냄이 양을 이리 가운데 보내어 <u>정복당함</u>과 같도다</td></tr>
</table>

대개 형용사가 비유의 속성으로 도출되는데 위의 예 (5)와 같이 동사가 속성으로 제시되는 경우도 속성 도출이 가능함을 알 수 있다.

(6) 12장 40절 : "<u>요나</u>가 밤낮 사흘을 큰 물고기 배 속에 있었던 것 같이 <u>인자</u>도 밤낮 사흘을 땅속에 있으리라."

주관념 '인자'(=예수가 메시아인 자기를 일컫는 말)와 보조관념

'요나' 사이의 유사점을 동사의 속성을 이용하여 직유로 표현하고 있다.

요나가 밤낮 사흘을 큰 물고기 배 속에 있었던 것 같이 인자도 밤낮 사흘을 땅속에 있으리라.	
유사점	1) 어두움 속의 경험; 2) 다시 살아남(=부활); 3) 부활 후 전도함
생생 직유	-요나가 밤낮 사흘을 큰 물고기 배 속에 있다가 살아난 것 같이 인자도 밤낮 사흘을 땅속에 있다가 부활하리라.

결국 요나가 물고기 배 속에 있다가 다시 살아난 것처럼 예수도 부활할 것임을 예표하는 모형이다.

(7) 13장 31절 : "**천국**은 마치 사람이 자기 밭에 갖다 심은 **겨자씨 한 알** 같으니..."

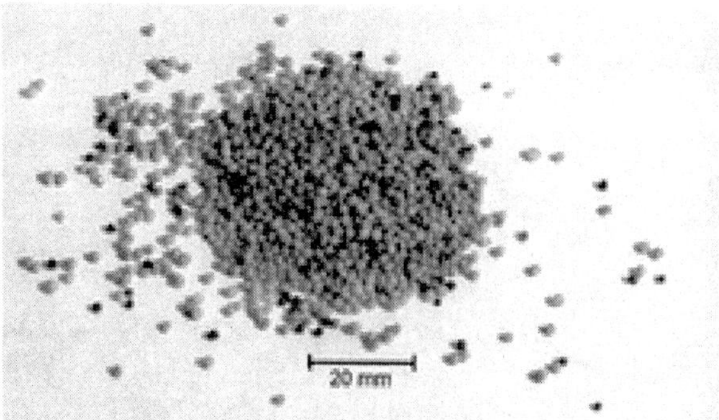

[겨자씨 : 좁쌀만 한 크기임]

성경학자들의 천국에 대한 해석에 의하면 **천국은 현세적 천국으로 교회의 생성 발전 단계를 보인다**고 한다. '씨 뿌리는 자'에서는 복음을 받아들이는 마음터를 논하고, '가라지'에서는 마음터에서 복음이 자랄 때 선악이 같이 하는 현세적 사실을 밝히며, 이렇게 형성된 교회의 양적 발전은 위의 '겨자씨' 직유 비유에서 밝힌다.

이에 대한 유사점을 분석하여 생생한 직유로 변형시켜 보자.

천국은 마치 사람이 자기 밭에 갖다 심은 **겨자씨 한 알** 같으니.	
유사점	1) 매우 작다; 2) 시작이 미미하다(=뚜렷하지 않다); 3) 생명력이 넘친다
생생 직유	1) **천국**은 마치 사람이 자기 밭에 갖다 심은 **겨자씨 한 알** 같이 매우 작다. 2) **천국**은 마치 사람이 자기 밭에 갖다 심은 **겨자씨 한 알** 같이 시작이 미미하다. 3) **천국**은 마치 사람이 자기 밭에 갖다 심은 **겨자씨 한 알** 같이 생명력이 넘친다.

(8) 13장 33절 : "천국은 마치 여자가 가루 서 말 속에 갖다 넣어 전부 부풀게 한 누룩과 같으니라."

이번에는 교회의 지역적이며 내부적 발전을 밝히는 '누룩' 비유이다.

천국은 마치 여자가 가루 서 말 속에 갖다 넣어 전부 부풀게 한 **누룩**과 같으니라.	
유사점	1) 질적 팽창; 2) 강한 복음의 위력; 3) 교회의 확장
생생 직유	1) **천국**은 마치 여자가 가루 서 말 속에 갖다 넣어 전부 부풀게 한 **누룩**과 같이 교회가 성장하리라. 2) **천국**은 마치 여자가 가루 서 말 속에 갖다 넣어 전부 부풀게 한 **누룩**과 같이 복음의 위력이 강하리라.

(9) 13장 36-43 : 밭에 가라지의 비유를 우리에게 설명하여 주소서. 대답하여 가라사대 "좋은 씨를 뿌린 이는 인자요. 밭은 세상이요. 좋은 씨는 천국의 아들들이요. **가라지**는 **악한 자의 아들들**이요. 가라지를 심은 원수는 마귀요. 추수 때는 세상 끝이요. 추숫군은 천사들이니 그런즉 가라지를 거두어 불에 사른 것 같이 세상 끝에도 그러하리라. 인자가 그 천사들을 보내리니 저희가 그 나라에서 모든 넘어지게 하는 것과 또 불법을 행하는 자들을 거두어 내어 풀무불에 던져 넣으리니 거기서 울며 이를 갊이 있으리라."

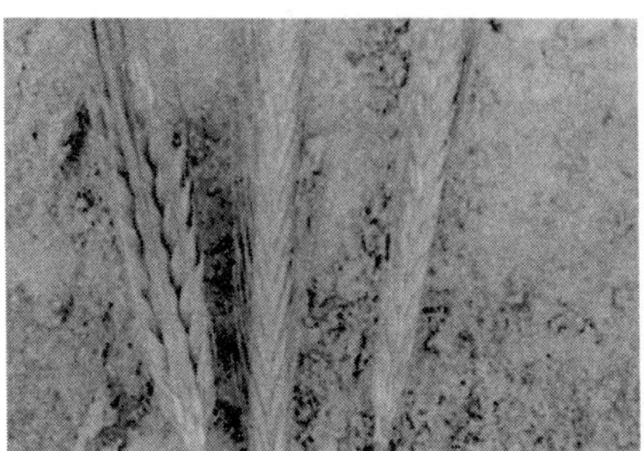

[왼쪽부터 밀, 가라지, 보리 : 가라지와 보리의 구별이 힘듦]

천국 비유 중 좋은 씨와 대조되는 가라지 비유로서 예수께 가까이 나아와 진리를 탐구하는 자에게는 반드시 응답을 하시는 모습을 보여 주신다.

가라지는 **악한 자의 아들들**이요.	
유사점	1) 방해한다; 2) 상처를 준다; 3) 해코지한다
차이점	1) 가라지는 성장을 방해하나 악한 자는 일을 방해한다. 2) 가라지는 식물 줄기에 상처를 내나 악한 자는 영과 육에 상처를 낸다. 3) 가라지는 결실을 해코지하나 악한 자는 평안을 해코지한다.
생생 은유	1) 방해꾼 가라지는 성장을 가로막는 악한 자의 아들들이다. 2) 상처 주는 가라지는 줄기에 흠집 내는 악한 자의 아들들이다. 3) 해코지하는 가라지는 결실을 막는 악한 자의 아들들이다.

(10) 13장 44절 : "**천국**은 마치 밭에 감추인 **보화**와 같으니.."

위의 직유를 이번에는 은유로 바꾸어 보면 '천국은 밭에 감추인 보화이다'가 되어 유사점 뿐 아니라 차이점까지도 대비시킬 수 있다. 더구나 보조관념 '보화'가 유사점을 넌지시 암시하고 있기 때문에 차이점을 밝히는 것이 아주 중요하다.

천국은 밭에 감추인 보화이다	
유사점	1) 감추어져 있다; 2) 매우 소중하다; 3) 은혜받아 기쁘다
차이점	1) 천국은 하늘 위에 있으나 보화는 지상에 감추어져 있다. 2) 천국은 내세에 받는 은혜이나 보화는 현세에 얻는 기쁨이다.
생생 은유	1) 매우 소중한 천국은 하늘 위에 감추인 보화이다. 2) 은혜받아 기쁜 천국은 내세의 보화이다.

유사점만 밝히는 직유보다 차이점까지 대비하는 은유가 더 오묘하고 깊은 의미를 풍기는 것을 여실히 느낄 수 있다.

(11) 13장 45절 : "또 **천국**은 마치 **좋은 진주를 구하는 장사**와 같으니 극히 값진 진주 하나를 만나매 가서 자기의 소유를 다 팔아 그 진주를 샀느니라."

앞선 비유 (10)처럼 그리스도를 발견한 신자가 그 진리에 감격하고 기쁜 마음을 직유로 표현하였다.

천국은 마치 **좋은 진주를 구하는 장사**와 같으니	
유사점	1) 존귀하다; 2) 만족스럽다
생생 직유	1) **천국**은 마치 좋은 진주를 구하는 장사와 같이 존귀하다. 2) **천국**은 마치 좋은 진주를 구하는 장사와 같이 만족스럽다.

사람은 끝없이 진주를 구하는데 참 진주이신 예수 그리스도를 소유해야 참 만족을 얻게 된다.

(12) 13장 47절 : **"또 <u>천국</u>은 마치 바다에 치고 각종 물고기를 모으는 <u>그물</u>과 같으니 그물에 가득하매 물가로 끌어내고 앉아서 좋은 것은 그릇에 담고 못된 것은 내어 버리니라."**

천국의 마지막 비유인데 현실 교회의 여실한 묘사로서 종말적 심판을 보이고 있다.

천국은 마치 바다에 치고 각종 물고기를 모으는 **그물**과 같으니	
유사점	1) 선과 악의 분리; 2) 최후의 심판
생생 직유	1) **천국**은 마치 바다에 치고 각종 물고기를 모으는 그물과 같이 <u>선악이 분리된다.</u> 2) **천국**은 마치 바다에 치고 각종 물고기를 모으는 **그물**과 같이 <u>최후의 심판이 있다.</u>

(13) 13장 52절 : **예수께서 가라사대 "그러므로 <u>천국의 제자 된 서기관</u>마다 마치 새것과 옛것을 그 곡간에서 내어오는 <u>집주인</u>과 같으니라."**

예수님은 천국 비유를 해득한 자로서 '천국의 제자된 서기관 (= 천국 배움을 받는 그리스도 제자)'를 '곡간을 가진 (농부) 집주인'

으로 비유하고 있다. 그 집주인은 '새것(=새 곡식)'과 '옛것(=묵은 곡식)'을 다 곡간에 지니고 있음을 알 수 있다. 그러면 '천국 제자'에게 '새것'과 '옛것'은 무엇에 해당할까? 당연히 하나님 말씀인바 '새것'은 '새로운 진리'인 신약 성경이요 '옛것'은 '옛 진리' 즉 구약성경이다.

그러므로 본 비유의 구조는 은유를 거쳐 직유가 된 구조로서 한마디로 은직유(=은유+직유) 구조의 **이중적 비유문장**이다.

위의 직유를 은유로 바꾸어 보면 **'천국의 제자 된 서기관은 (농부) 집주인**이다'

천국의 제자 된 서기관은 (농부) **집주인**이다	
유사점	1) 옛것과 새것을 소유; 2) 옛것과 새것을 조화시킴; 3) 신구 응용
차이점	1) 제자는 진리를 소유하나 집주인은 곡식을 소유함 2) 제자는 항시 구약과 신약을 조화시키나 집주인은 곡식을 계절에 따라 적절히 조화시킴 3) 제자는 전통 진리를 파수하고 새 진리를 샘솟게 하나 집주인은 양에 따라 곡식을 응용함
생생 은유	1) 옛것과 새것을 소유한 제자는 진리 파수의 집주인이다. 2) 신구 조화의 제자는 예술 감각 소유의 집주인이다. 3) 신구 응용의 제자는 새 진리가 솟아나게 하는 집주인이다.

(14) 22장 39절: "둘째는 그와 같으니 <u>네 이웃</u>을 <u>네 몸</u>과 같이 사랑 하라 하셨으니.."

이미 마태복음 5:43과 19:19에 인용되었는데 편의상 이곳에서 생생비유 생성 차원으로 다루어 보자.

직유로 되어 있으나 은유로 고쳐보면 '<u>네 이웃 사랑</u>은 <u>네 몸 사랑</u>이다'와 같다.

<u>네 이웃 사랑</u>은 <u>네 몸 사랑</u>이다	
유사점	1) 친절하다; 2) 오래 참는다; 3)시기하지 않는다
차이점	1) 네 몸 사랑은 시작이나 네 이웃 사랑은 결실이다. 2) 네 몸 사랑은 육체적이나 네 이웃 사랑은 영적 희생이다.
생생 은유	1) 네 이웃에게 친절함은 사랑의 시작이다. 2) 네 이웃에게 오래 참음은 돌보는 사랑이다.

(15) 23장 37절 : "<u>암 탉이 그 새끼를 날개 아래 모음(A)</u> 같이 내가 <u>네 자녀를 모으려 한 일(B)</u>이 몇 번이냐 그러나 너희가 원치 아니하였도다."

주관념 (A)와 보조관념 (B) 사이의 유사성을 밝힌 후 생생한 직유로 만들어 보면 다음과 같다.

암 탉이 그 새끼를 날개 아래 모음 같이 내가 네 자녀를 모으려 한 일이 몇 번이냐	
유사점	1) 어린 새끼를 부름; 2) 따스한 품속에 보호; 3) 적의 공격에서 방어
생생 직유	1) 암 탉이 그 새끼를 날개 아래 모음 같이 내가 네 자녀를 모음은 따스한 품속의 보호이다. 2) 암 탉이 그 새끼를 날개 아래 모음 같이 내가 네 자녀를 모음은 최선의 방어이다.

(16) 25장 32절 : **모든 민족을 그 앞에 모으고 각각 분별하기**를 **목자가 양과 염소를 분별하는 것** 같이 하여 양은 그 오른 편에, 염소는 왼편에 두리라.

심판자가 모든 민족을 심판함을 목자가 양과 염소를 분별함에 빗대어 직유로 표현하고 있다. 이를 간단히 줄여 표현하면 '**심판자의 최후 심판**은 **목자의 양과 염소 구별**처럼 (   )하다'

'심판자의 최후 심판은 목자의 양과 염소 구별처럼 ( )하다'	
유사점	1) 엄숙하다; 2) 위엄이 있다; 3) 냉혹하다
생생 직유	1) 심판자의 최후 심판은 목자의 양과 염소 구별처럼 엄숙하다. 2) 심판자의 최후 심판은 목자의 양과 염소 구별처럼 위엄이 있다. 3) 심판자의 최후 심판은 목자의 양과 염소 구별처럼 냉혹하다.

*이상 마태복음에서의 16개 비유 표현을 보다 생생한 비유로 바꾸어 본바 직유보다 은유가 더 생생하게 느껴지며 유사점 분석에서는 (1), (2), (4-6), (8-9), (12-13), (15)의 동사보다는 위의 (16)처럼 상태나 특성을 나타내는 형용사일 때 감성이 더 민감해짐을 여실히 느낄 수 있다.

3.2 마가복음

(1) 4장 15절 : "말씀이 **길가**에 뿌리웠다는 것은 이들이니 곧 말씀을 들었을 때에 사단이 즉시 와서 저희에게 뿌리운 말씀을 빼앗은 것이요."

하나님 나라의 비유를 '씨 뿌리는 자'의 비유로 표현하고 있다. 즉, '씨'는 '하나님 말씀'이요 '길가'는 '사람의 마음'을 암시함을 알 수 있다. 위 표현을 요약하여 창의적인 은유를 만들어 보면 다음과 같다.

'<u>사람 마음</u>이 <u>길가</u> 이다.'

이를 우리의 생생한 은유 만들기 원리에 따라 변형시켜 보자.

'**길가는** **사람 마음**이다.'	
유사점	1) 굳어져 있다; 2) 뿌리 내리기 어렵다
차이점	1) 길가에는 씨를 뿌리나 사람 마음에는 하나님 말씀을 뿌린다. 2) 길가는 사람들의 발길에 굳어졌으나 사람 마음은 수많은 철학과 이론으로 굳어졌다.
생생 은유	1) 굳어져 있는 길가는 씨가 뿌려진 사람 마음이다. 2) 굳어져 있는 사람 마음은 말씀이 뿌려질 길가이다.

이를 '**사람 마음**은 **길가**이다'로 바꿔보면 생생한 은유는 다음과 같다. '뿌리 내리기 어려운 사람 마음은 말씀이 뿌려진 길가이다.'

(2) 4장 16-17절 : "**돌밭**에 뿌리웠다는 것은 이들이니 곧 말씀을 들을 때에 즉시 기쁨으로 받으나 그 속에 뿌리가 없어 잠간 견디다가 말씀을 인하여 환난이나 핍박이 일어나는 때에는 곧 넘어지는 자요."

이번에는 위 비유 표현을 요약하여 보면 다음과 같다.

'**돌밭**은 **압박**이다.'

이를 다음과 같이 생생한 은유로 변형시켜 보자.

'**돌밭**은 **압박**이다.'	
유사점	1) 부딪힌다; 2) 아프다; 3) 상처가 생긴다; 4) 떠나게 한다
차이점	1) 돌밭은 육체에 상처가 남지만 압박은 정신에 상처가 남는다. 2) 돌밭은 밭에서 떠나게 하나 압박은 믿음에서 떠나게 한다.
생생 은유	1) 부딪혀 아픈 돌밭은 육체에 상처를 남기는 압박이다. 2) 상처를 남기는 돌밭은 밭에서 떠나게 하는 압박이다.

(3) 4장 18-19절 : **"또 어떤이는 가시떨기에 뿌리우는 자니 이들은 말씀을 듣되 세상의 염려와 재리의 유혹과 기타 욕심이 들어와 말씀을 막아 결실치 못하게 되는 자요."**

위의 구절은 다음과 같이 요약된다.

'가시떨기는 욕심이다.'

이를 아래와 같은 생생한 은유로 변형시켜 보자.

'**가시떨기**는 **욕심**이다.'	
유사점	1) 찌른다; 2) 아프다; 3) 상처를 준다; 4) 결실을 못하게 한다
차이점	1) 가시떨기는 비옥한 토양에 생기나 욕심은 인간 마음 속에 생긴다. 2) 가시떨기는 식물 결실을 방해하나 욕심은 신앙 결실을 방해한다.
생생 은유	1) 찌르는 가시떨기는 토양에 생기는 욕심이다. 2) 상처를 주는 가시떨기는 결실을 방해하는 욕심이다.

(4) 4장 30-33절 : 또 가라사대 "우리가 **하나님의 나라**를 어떻게 비하며 또 무슨 비유로 나타낼꼬. **겨자씨 한 알**과 같으니 땅에 심길 때에는 땅 위의 모든 씨보다 작은 것이로되 심긴 후에는 자라서 모든 나물보다 커지며 큰 가지를 내니 공중의 새들이 그 그늘에 깃들일 만큼 되느니라."

앞선 씨 뿌리는 자의 비유가 복음 자체의 성장 과정을 말하나 이 겨자씨 비유는 교회적인 성장을 가리킨다고 본다. 이미 마태복음에서 다룬 바 있으나 이번에는 '하나님 나라'와 '겨자씨'를 '교회'로 여기고 이를 우리의 생생한 은유로 변형시켜 보면 다음과 같다.

'교회는 겨자씨이다.'

교회는 겨자씨이다.	
유사점	1) 시작이 소수로 미미하다; 2) 성장한다; 3) 동물들이 안식한다
차이점	1) 교회는 소수로 시작하나 겨자씨는 작은 모양으로 시작한다. 2) 교회는 신앙과 실천으로 성장하나 겨자씨는 보살핌으로 성장한다. 3) 교회에는 성도들이 안식하나 겨자나무에는 새들이 안식한다.
생생 은유	1) 시작이 미미한 교회는 소수가 성장하는 겨자씨이다. 2) 동물들이 안식하는 교회는 성도들의 겨자나무이다.

3.3 누가복음

(1) 5장 4절 : 말씀을 마치시고 시몬에게 이르시되 "**깊은 데**로 가서 그물을 내려 고기를 잡으라."

신학자들은 위의 '깊은 데'가 바다의 한 가운데이기는 하나 '은혜의 깊은 곳'으로 해석하기도 해서 다음과 같은 은유를 생성한다고 본다.

'깊은 교회는 깊은 바다이다.'

이를 우리의 생생한 비유 만들기 원리로 변형시켜 보자.

'깊은 교회는 깊은 바다이다.'	
유사점	1) 길다; 2) 생물이 많다; 3) 많은 생물을 대한다
차이점	1) 깊은 바다는 길이가 있으나 교회는 깊은 은혜가 있다. 2) 깊은 바다는 고기가 많으나 깊은 교회는 사람이 많다. 3) 깊은 바다는 각종 고기를 잡으나 깊은 교회는 비신자도 잡는다.
생생 은유	1) 길이가 긴 교회는 사람이 많은 바다이다. 2) 많은 사람을 대하는 교회는 은혜가 깊은 바다이다.

(2) 5장 38절: "**새 포도주**는 **새 부대**에 넣어야 할 것이니라."

먼저 위의 비유는 두 개의 환유법을 갖고 있는바 주관념 '새 포도주'가 갖는 진짜 의미는 '새로운 정신' 내지 '새로운 신앙'이다. 보조관념인 '새 부대'가 지니는 진짜 의미는 '새로운 사회' 내지 '신 규범'이다. 이차적인 비유 과정으로 '새 포도주는 새 신앙처럼 (　) 넘친다' 와 '새 부대는 새 사회처럼 (　) 좋다' 라는 두 개의 직유가 발생한다. 그러므로 '**새 신앙은 새 사회 체제에 넣어야 할 것이니라**'와 같은 비유가 성립된다. 결국 전체적으로 보면 일차적으로 환유를 거쳐 직유를 이루어서 환직유법(환유+직유) 문장이 되는 셈이다.

두 개의 직유는 다음과 같다.

① '새 포도주는 새 신앙처럼 (　)이 넘친다.

유사점	1) 생명력, 2) 파급력
생생 직유	1) 새 포도주는 새 신앙처럼 **생명력이** 넘친다. 2) 새 포도주는 새 신앙처럼 **파급력이** 넘친다.

② '새 부대는 새 사회 체제처럼 (　)이 좋다.'

유사점	1) 탄력; 2) 효능
생생 직유	1) 새 부대는 새 사회 체제처럼 **탄력이** 좋다. 2) 새 부대는 새 사회 체제처럼 **효능이** 좋다.

이러한 환유와 직유의 2차 비유 과정을 거쳐 마침내 다음과 같은 생생한 비유 문장을 표현한다. '탄력적인 새 신앙은 효능이 좋은 새 사회 체제에 넣어야 할 것이니라.'

(3) 15장 4-7절 : "너희 중에 어느 사람이 **양** 일백 마리가 있는데 그 중에 하나를 잃으면 아흔아홉 마리를 들에 두고 그 잃은 것을 찾도록 찾아다니지 않겠느냐. 또 찾은즉 즐거워 어깨에 메고 집에 와서 그 벗과 이웃을 불러 모으고 말하되 나와 함께 즐기자. 나의 잃은 양을 찾았노라 하리라. 내가 너희에게 이르노니 이와 같이 **죄인** 하나가 회개하면 하늘에서는 회개할 것 없는 의인 아흔아홉을 인하여 기뻐하는 것보다 더하리라."

위의 구절을 요약하면 다음과 같은 은유가 된다.

'<u>회개한 죄인</u>은 <u>잃어버린 양</u>이다.'

이를 우리의 생생한 은유 만들기 원리로 변형시켜 보자.

'<u>회개한 죄인</u>은 <u>잃어버린 양</u>이다.'	
유사점	1) 비율이 100:1로 극히 미미하다; 2) 버려졌다; 3) 찾아서 기쁘다
차이점	1) 잃어버린 양은 목자 소유나 회개한 죄인은 하나님 소유다. 2) 잃어버린 양을 찾음은 벗과 이웃의 기쁨이나 회개한 죄인은 하나님 나라 전체의 기쁨이다.
생생 은유	1) 미미하나 회개한 죄인은 하나님 소유의 잃어버린 양이다. 2) 버려진 회개한 죄인은 하나님만 의지하는 잃어버린 양이다. 3) (B=A) 찾아서 기쁜 양은 공적 기쁨 대상의 회개한 죄인이다.

(4) 15장 8-10절 : "어느 여자가 **열 드라크마**가 있는데 하나를 잃으면 등불을 켜고 집을 쓸며 찾도록 부지런히 찾지 아니하겠느냐. 또 찾은즉 벗과 이웃을 불러 모으고 말하되 나와 함께 즐기자. 잃은 드라크마를 찾았노라 하리라. 내가 너희에게 이르노니 이와 같이 **죄인** 하나가 회개하면 하나님의 사자들 앞에 기쁨이 되느니라."

위의 구절을 요약하면 다음 은유와 같다.

'**회개한 죄인**은 잃었다가 **다시 찾은 열 드라크마**이다.'

이를 우리의 생생 은유 만들기 원리에 의거해 변형하면 다음과 같다.

'**회개한 죄인**은 잃었다가 **다시 찾은 열 드라크마**이다.'	
유사점	1) 비율이 10:1로 더 귀중해짐; 2) 찾는 정성이 대단함; 3) 찾아서 기쁘다
차이점	1) 열 드라크마는 주부 소유나 죄인은 하나님 소유다. 2) 잃어버린 드라크마를 찾음은 공적인 기쁨이나 회개한 죄인은 하나님 나라 전체의 기쁨이다.
생생 은유	1) 귀중해진 죄인은 주부의 다시 찾은 열 드라크마이다. 2) 정성으로 찾은 죄인은 하나님 나라가 기뻐하는 열 드라크마이다.

(5) 15장 11-32절 : 또 가라사대 "어떤 사람이 두 아들이 있는데 그 둘째가 아비에게 말하되 '아버지여 재산 중에서 내게 돌아올 분깃을 내게 주소서' 하는지라 아비가 그 살림을 각각 나눠주었더니 그 후 며칠이 못 되어 둘째 아들이 재물을 다 모아가지고 먼 나라에 가 거기서 허랑 방탕하여 그 재산을 허비하더니 다 없이 한 후 그 나라에 크게 흉년이 들어 저가 거기서 궁핍한지라. 가서 그 나라 백성 중 하나에게 붙어 사니 그가 저를 들로 보내어 돼지를 치게 하였는데 저가 돼지 먹는 쥐엄 열매로 배를 채우고자 하되 주는 자가 없는지라. 이에 돌이켜 가로되 '내 아버지에게는 양식이 풍족한 품군이 얼마나 많은고, 나는 여기서 주려 죽는구나. 내가 일어나 아버지께 가서 이르기를 아버지여 내가 하늘과 아버지께 죄를 얻었사오니 지금부터는 아버지의 아들이라 일컬음을 감당치 못하겠나이다. 나를 품군의 하나로 보소서 하리라' 하고 이에 일어나서 아버지께로 돌아가니라. 아직도 상거(=서로간의 거리)가 먼데 아버지가 저를 보고 측은히 여겨 달려가 목을 안고 입을 맞추니 아들이 가로되 '아버지여 내가 하늘과 아버지께 죄를 얻었사오니 지금부터는 아버지의 아들이라 일컬음을 감당치 못하겠나이다' 하나 아버지는 종들에게 이르되 '제일 좋은 옷을 내어다가 입히고 손에 가락지를 끼우고 발에 신을 신기라 그리고 살진 송아지를 끌어다가 우리가 먹고 즐기자. 이 내 아들은 죽었다가 다시 살아났으며 내가 잃었다가 다시 얻었노라' 하니 저희가 즐거워하더라. 맏아들은 밭에 있다가 돌아와 집에 가까웠을 때에 풍류와 춤추는 소리를 듣고 한

종을 불러 '이 무슨 일인가' 물은대 대답하되 '당신의 동생이 돌아왔으매 당신의 아버지가 그의 건강한 몸을 다시 맞아들이게 됨을 인하여 살진 송아지를 잡았나이다' 하니 저가 노하여 들어가기를 즐겨 아니하거늘 아버지가 나와서 권한대 아버지께 대답하여 가로되 '내가 여러 해 아버지를 섬겨 명을 어김이 없거늘 내게는 염소 새끼라도 주어 나와 내 벗으로 즐기게 하신 일이 없더니 아버지의 살림을 창기와 함께 먹어버린 이 아들이 돌아오매 이를 위하여 살진 송아지를 잡으셨나이다.' 아버지가 이르되 '얘 너는 항상 나와 함께 있으니 내 것이 다 네 것이로되 이 네 동생은 죽었다가 살았으며 내가 잃었다가 얻었기로 즐거워하고 기뻐하는 것이 마땅하다 하니라'"

위의 잃어버린 자식 탕자의 비유는 누가복음이 4복음 중 가장 문학적이라는 사실을 여실히 보여 준다. 위의 구절을 요약하면 다음과 같다.

'둘째 아들은 회개한 죄인이다.'

이를 중심으로 우리는 아버지에게 초점을 맞추어 다음과 같은 생생한 은유를 만들어 보자.

'둘째 아들은 회개한 죄인이다.'	
유사점	1) 비율이 2:1로 매우 귀중해짐; 2) 따스한 가족 사랑이다; 3) 큰 기쁨이다
차이점	1) 둘째 아들은 버려졌으나 회개한 죄인은 용납됨. 2) 잃은 아들은 아버지의 기쁨이나 회개한 죄인은 모두에게 기쁨이다.
생생 은유	1) 따스한 아버지 사랑을 받는 차남은 버려진 죄인이었다. 2) 돌아온 아들은 모두가 기뻐하는 회개한 죄인이다.

이번에는 회개하고 귀가한 둘째 아들에게 초점을 맞추어 다음과 같은 생생한 은유를 만들어 보자.

'회개한 둘째 아들은 승리의 용사이다.'	
유사점	1) 결과적으로 승리함 2) 귀가하여 환영을 받음
차이점	1) 둘째 아들은 세상 악과 대항하여 승리하나 용사는 적군과 대항하여 승리함. 2) 둘째 아들은 과감한 결단력 승자이나 전쟁의 용사는 강인한 육체적 승자이다.
생생 은유	1) 승리를 쟁취한 둘째 아들은 세상 악과 대항한 용사이다. 2) 귀가하여 환영을 받은 둘째 아들은 과감한 결단력 용사이다.

3.4 요한복음

요한복음의 비유는 예수 그리스도의 속성을 선언하시는 표현들이 다양한 것이 큰 특징이다.

(1) 10장 11-12절 : "**나**는 **선한 목자**라 선한 목자는 양들을 위하여 목숨을 버리거니와 삯군은 목자도 아니요 양도 제 양이 아니라 이리가 오는 곳을 보면 양을 버리고 달아나나니 이리가 양을 늑탈하고 또 헤치느니라."

위의 구절에서 '나'는 예수 그리스도이시다. 그러므로 '나 예수 그리스도는 선한 목자이다'라는 은유가 성립된다. 이제 주관념 '나'와 보조관념 '선한 목자' 사이에 유사점과 차이점을 밝혀 생생한 은유로 바꿔보자.

나 예수 그리스도는 선한 목자이다	
유사점	1) 목숨을 버린다; 2) 식물로 키운다; 3) 안전하게 인도한다
차이점	1) 예수는 영적 중심으로 키우나 목자는 육체 중심으로 키운다. 2) 예수는 말씀으로 인도하나 목자는 목소리와 지팡이로 인도한다. 3) 예수는 우리 죄를 대신하여 목숨을 버리시나 목자는 이리로 인해 목숨을 버린다.
생생 은유	1) 양식으로 키우는 예수는 영적 성장의 선한 목자이다. 2) 안전케 하시는 예수는 말씀으로 인도하는 선한 목자이다. 3) 희생적인 예수는 속죄해 주신 선한 목자이다.

(2) 6장 48-51절 : "내가 곧 생명의 떡이로라. 너희 조상들은 광야에서 만나를 먹었어도 죽었거니와 이는 하늘로서 내려오는 떡이니 사람으로 하여금 먹고 죽지 아니하게 하는 것이니라. 나는 하늘로서 내려온 산 떡이니 사람이 이 떡을 먹으면 영생하리라. 나의 줄 떡은 곧 세상의 생명을 위한 내 살이로라 하시니라."

위 구절의 주관념 '내'도 예수 그리스도이시다. 그러므로 '나 예수 그리스도는 곧 생명의 떡이다' 라는 은유가 된다. 이를 생생한 은유로 바꿔보면 다음과 같다.

'나 예수 그리스도는 곧 생명의 떡이다'	
유사점	1) 힘을 준다; 2) 사람을 살린다
차이점	1) 예수는 영적 힘을 주나 떡은 육체에 힘을 준다. 2) 예수는 말씀으로 생명을 살리나 떡은 곡식으로 생명을 살린다.
생생 은유	1) 힘을 주시는 예수는 영적인 생명의 떡이다. 2) 사람을 살리는 예수는 말씀 자체가 생명의 떡이다.

(3) 7장 37-39절 : 명절 끝날 곧 큰 날에 예수께서 외쳐 가라사대 "누구든지 목마르거든 내게로 와서 마시라. 나를 믿는 자는 성경에 이름과 같이 그 배에서 생수의 강이 흘러나리라" 하시니 이는 그를 믿는 자의 받을 성령을 가리켜 말씀하신 것이라.

위의 구절도 결국 '나 예수는 생수의 강이다'라는 은유 표현인바 이를 우리의 생생 비유 원리로 분석해 보면 다음과 같다.

'<u>나 예수</u>는 <u>생수의 강</u>이다'	
유사점	1) 목마른 자들이 찾아온다; 2) 갈증을 풀어 준다
차이점	1) 예수께는 영적 갈증자가 찾아오나 생수의 강에는 목이 마른 자가 찾아온다. 2) 예수께서는 말씀으로 영적 갈증을 풀어 주시나 강은 흐르는 물로 목의 갈증을 풀어 준다.
생생 은유	1) 목마른 자들이 찾는 예수는 영적 생수의 강이다. 2) 갈증을 풀어 주는 예수는 말씀이 충만한 생수의 강이다.

(4) 8장 12절 : 예수께서 또 일러 가라사대 "<u>나</u>는 <u>세상의 빛</u>이니 나를 따르는 자는 어두움에 다니지 아니하고 생명의 빛을 얻으리라."

예수께서 성전 안의 뜰에 등불을 켜 둔 것을 보시고 세상의 빛에 대한 설교 말씀을 은유로 표현하신 구절이다. 이를 생생 은유 원리로 분석해 보면 다음과 같다.

‘나는 세상의 빛이다’	
유사점	1) 어둠을 밝게 한다; 2) 따스하게 한다; 3) 소생하게 한다
차이점	1) 예수께서는 적극적으로 찾아 다니시며 비추나 세상 빛은 정적으로 비춘다. 2) 예수께서는 성령으로 뜨겁게 하나 세상 빛은 육체를 따스하게 한다. 3) 예수께서는 사람의 영혼을 소생케 하나 세상 빛은 만물을 소생케 한다.
생생 은유	1) 어둠을 밝히는 예수는 적극적으로 찾아 비추는 세상의 빛이다. 2) 따스하게 해주는 예수는 성령으로 비추는 참 빛이다. 3) 소생케 하는 예수는 영을 살리는 참 빛이다.

(5) 15장 5절 : “나는 포도나무요 너희는 가지니 저가 내 안에 내가 저 안에 있으면 이 사람은 과실을 많이 맺나니 나를 떠나서는 너희가 아무 것도 할 수 없음이라.”

이 구절은 두 개의 은유가 대조되어 있다. 하나는 ‘나 예수 그리스도는 포도나무다’ 이고 다른 하나는 ‘너희 그리스도인은 가지이다’로서 예수 그리스도와 그리스도인은 전체와 일부라는 관계의 특색이 잘 묘사되어 있다.

먼저 ‘나 예수 그리스도는 포도나무이다’를 생생 은유로 바꿔보자.

'나 예수 그리스도는 포도나무이다'	
유사점	1) 원기를 돋아 준다; 2) 결합한다; 3) 열매를 맺게 한다
차이점	1) 예수는 영혼에 힘을 돋우나 포도나무는 육체에 힘을 돋운다. 2) 예수는 그리스도인과 결합하나 포도나무는 가지와 결합한다. 3) 예수는 말씀의 열매를 맺게하나 포도나무는 포도를 맺게한다.
생생 은유	1) 원기를 돋우는 예수는 영적 힘을 주는 포도나무이다. 2) 결합시키는 예수는 그리스도인과 연결하는 포도나무이다. 3) 열매를 맺게 하는 예수는 말씀의 포도나무이다.

이번에는 '너희 그리스도인은 가지이다'를 생생한 은유로 바꿔 보자.

'너희 그리스도인은 가지이다'	
유사점	1) 결합되어 산다; 2) 실과를 맺는다
차이점	1) 그리스도인은 예수 그리스도에 결합하나 가지는 나무에 결합한다. 2) 그리스도인은 성령의 열매를 맺으나 가지는 포도 열매를 맺는다.
생생 은유	1) 결합하여 사는 그리스도인은 예수의 가지이다. 2) 실과를 맺는 그리스도인은 성령의 가지이다.

연습
문제

시편과 잠언의 비유 문장을 생생비유로 바꿔보기 연습

(1) 시편, 1:1 '복 있는 사람은 시냇가에 심겨진 나무와 같다.'

> 두 사이의 유사점은 무엇인가요?

[ ]

> 생생한 직유는?

[ ]

(2) 시편, 1:4 '악인은 바람에 흩날리는 겨와 같다.'

> 두 사이의 유사점은 무엇인가요?

[ ]

> 생생한 직유는?

[ ]

(3) 시편, 18:2 '여호와는 나의 반석이시다.'

> 두 사의의 유사점, 차이점 그리고 생생 은유는?

‘여호와는 나의 반석이시다.’	
유사점	1)
차이점	1)
생생 은유	1)

(4) 시편, 128:3 ‘네 상에 둘러앉은 자식들은 올리브 나무 가지들 같을 것이다.’

➤ 두 사이의 유사점은 무엇인가요?

[ ]

➤ 생생한 직유는?

[ ]

(5) 시편, 141:2 ‘내 기도가 주님 앞에 드리는 향 같게 하시고,.’.

➤ 두 사이의 유사점은 무엇인가요?

[ ]

➤ 생생한 직유는?

[ ]

(6) 144:4 '사람은 증기 같고..'

> 두 사이의 유사점은 무엇인가요?

[ ]

> 생생한 직유는?

[ ]

(7) 잠언, 6:11 '가난이 네게 강도같이 오며, 궁핍이 네게 군사같이 올 것이다.'

두 개의 직유가 있으나 이를 하나로 줄여 볼 수 있겠다.

'가난과 궁핍은 강도와 군사같이 올 것이다.'

> 두 사이의 유사점은 무엇인가요?

[ ]

> 생생한 직유는?

[ ]

(8) 잠언, 6:20과 연관한 6:23 '이는 (아버지의) 명령은 등불이요, (어머니의) 법은 빛이며, (부모의) 훈계의 꾸지람은 생명길이기 때문이다.'

세 개의 은유가 전개되는바 각각의 유사점과 차이점을 찾은 다음 생생 은유를 만들어 보자.

1) '아버지의 명령은 등불'이요

'아버지의 명령은 등불이요'	
유사점	1)
차이점	1)
생생 은유	1)

2) '어머니의 법은 빛이며,..'

'어머니의 법은 빛이며,..'	
유사점	1)
차이점	1)
생생 은유	1)

3) '부모의 훈계의 꾸지람은 생명 길이기 때문이다'

'부모의 훈계의 꾸지람은 생명 길이기 때문이다'	
유사점	1)
차이점	1)
생생 은유	1)

(9) 잠언, 20:5 '사람 마음속 생각은 깊은 물과 같으나...'

> 두 사이의 유사점은 무엇인가요?

[ ]

> 생생한 직유는?

[ ]

(10) 잠언, 20:15 '지혜로운 입술이 더욱 귀한 보물이다.

'지혜로운 입술이 더욱 귀한 보물이다.'	
유사점	1)
차이점	1)
생생 은유	1)

부록

부록1 : 대학 입시 논술 준비를 위한 독서 안내

독자 여러분, 저의 저서 '생생해진 성경 속 비유'를 통해 예수님의 비유 말씀이 보다 유연하고 생생하게 머리 속에 그려지고 이해가 더 명확하게 되셨나요? 이 저서 외에 음악, 미술, 문학 그리고 영화 등 예술 방면의 자료를 참고하여 '생생비유' 애니메이션으로 '아기상어'와 'BTS의 버터' 등 4개를 선보였으며 향후 계속해서 새 버전을 게재하고자 합니다. 유튜브에 '생생비유(Vivid Metaphor)'로 접속하셔서 창의력과 감성을 개발하는데 큰 도움이 되기를 바랍니다.

이제 현실적인 문제의 해결인데 서울 소재 대부분의 대학교 입시에서 창의적 논리·논술 시험을 치르고 있습니다. 이 시험의 목적은 첫째, 입시생들의 창의적 사고를 측정하기 위함이며, 둘째, 대학 재학 중 학문을 전공하면서 참된 진리와 효용 있는 새 원리를 찾아내는 역량을 기르게 하기 위함입니다. 저는 우리의 생생한 은유 만들기 방법과 원리가 이 문제를 해결하는 데 많은 도움을 주리라고 확신합니다. 즉, 유사점 찾기에서는 대상을 다양한 시각으로 접근하여 유추 능력을 길러 주고 차이점 찾기 과정에서는 통찰력이 깊고 심도 있는 분석력으로 창의력을 길러 줄 것입니다.

저희 생생 비유 훈련과 병행하여 초등학교 4학년생부터 중학생 시절까지 방학 중 계획을 세워 독서를 해나가는 게 장기적 논술 준비에 효과적으로 대처하는 현명한 방법이라고 여겨집니다. 독서 후 내용을 요약하고 핵심 주제어를 찾아 이를 주관념으로 삼아 생생한 직유나 은유를 만드는 훈련을 지속적으로 행해보시기를 권합니다. 세계문학서나 위인전 그리고 한국문학서도 당연히 읽어야 하겠지요. 이에 더하여 현재 출간된 문학서 69권(1-1...2-29), 수학서 6권(2-30...2-35), 과학서 8권(2-36...3-3), 사회 및 경제 32권(3-4..3-35) 그리고 예술서 5권(3-36...3-40), 총합 120권의 책을 더 읽어 보도록 하십시오.

이제 이 120권의 책명과 저자를 소개하오니 한 권씩 읽으시고 독후감 노트에 요약문을 12개 정도 문장으로 정리해보세요. 편의상 40권씩 나누어 보았는데 3년 계획으로 도전해 볼 수도 있겠습니다. 아니면 장르 별로 한 권씩 시작해 보십시오. 독서와 생생비유 교육 시작 후 저에게도 다음 이메일 주소로 요약문과 주제어를 보내주시면 저희 비유 팀이 이를 참고로 하여 애니메이션으로 만들어 본 후 유튜브에 올려 보겠습니다.

저자 주소: gdkim5814@naver.com

끝으로 이 책의 출판을 허락해 주신 울산대학교 오연천 총장님, 출판부장 이종서 교수와 편집해주신 김혜지 님께 감사드립니다.

*120권 추천 도서

NO.	책명	저자
1-1	구덩이	루이스 새커
1-2	기억 전달자	로이스 로리
1-3	나무 소녀	벤 마이켈슨
1-4	나의 산 위에서	진 크레이헤드 조지
1-5	난장이가 쏘아 올린 작은 공	조세희
1-6	내 이름은 삐삐롱스타킹	아스트리드 린드 그렌
1-7	내 인생의 스프링 캠프	정유정
1-8	너도 하늘말 나리야	이금이
1-9	당나귀는 당나귀답게	아지즈 네신
1-10	돼지가 있는 교실	쿠로다 야스후미
1-11	돼지가 한 마리도 죽지 않던 날	로버트 뉴턴 팩
1-12	드림 하우스	유은실
1-13	마당을 나온 암탉	황선미
1-14	마법의 설탕 두 조각	미하일 엔데
1-15	마틸다	로알드 달
1-16	모모	미하일 엔데
1-17	무기 팔지 마세요	위기철
1-18	바다 속 왕국	조안 에이킨
1-19	바르톨로매는 개가 아니다	라헐판 코에이
1-20	방관자	젱림스 프렐러
1-21	버드나무에 부는 바람	케네스 그레이엄
1-22	불량한 자전거 여행	김남중
1-23	비밀의 숲 테라비시아	캐서린 페터슨

NO.	책명	저자
1-24	빨간 꽃	최은영
1-25	빨강 연필	신수현
1-26	사금파리 한 조각	린다 수 박
1-27	산왕 부루	박운규
1-28	샬롯의 거미줄	E.B. 화이트
1-29	손도끼	게리 폴슨
1-30	수요일의 전쟁	게리 D. 슈미트
1-31	시간을 파는 상점	김선영
1-32	아몬드	손원평
1-33	악플 전쟁	이규희
1-34	엘 데포	시시 벨
1-35	오이 대왕	크리스티네 뇌스틀링거
1-36	완득이	김려령
1-37	원더 (아름다운 아이)	R.J 팔라시오
1-38	위저드 베이커리	구병모
1-39	유진과 유진	이금이
1-40	자전거 도둑	박완서
2-1	작별 인사	구드룬 멥스
2-2	조금난, 조금만 더	존 레이놀즈 가디너
2-3	책 먹는 여우	프란치스카 비어만
2-4	책과 노니는 집	이영서
2-5	책만 보는 바보	안소영
2-6	트루먼 스쿨 악플 사건	도리 힐레스타드 버틀러
2-7	트리갭의 샘물	나탈리 배비트
2-8	페인트	이희영

NO.	책명	저자
2-9	푸른 사자 와니니	이현
2-10	헨쇼 선생님께	비벌리 클리어리
2-11	방드르디, 야생의 삶	미셸 투르니에
2-12	슬픈 아일랜드	마리타 콘돌 맥케너
2-13	핵 폭발 뒤 최후의 아이들	구르룬 파우 제방
2-14	수상한 진흙	루이스 새커
2-15	로봇 소년 학교에 가다	톰 앵글 버거
2-16	시인동주	안소영
2-17	가자 Gaza에 띄운 편지	발레리 제나티
2-18	그리운 메이 아줌마	신시아 라일런트
2-19	바람의 딸 샤바누	수잔느 피셔 스테이플시
2-20	전갈의 아이	낸시 파머
2-21	스피릿 베어	벤 마이켈슨
2-22	열네살의 인턴쉽	마리 오드 뮈라이
2-23	Kissing my life	이옥수
2-24	줄 무늬 파자마를 입은 소년	존 보인
2-25	초콜릿 전쟁	로버트 코마이어
2-26	고릴라는 핸드폰을 미워해	박경화
2-27	홈으로 슬라이딩	도리 힐레스타드 버틀러
2-28	클로디아의 비밀	E.L 코닉스버그
2-29	거짓말을 하면 얼굴이 빨게진다	라이너 에를링어
2-30	세상 밖으로 날아간 수학	이사하라 기요타가
2-31	수학 비타민	박경미
2-32	수학 천재 마티의 무한 여행	클라라 그리마
2-33	수학 귀신	한스 마그누스 옌천베르거

NO.	책명	저자
2-34	어린이를 위한 우리 겨레 수학 이야기	안소정
2-35	피타고라스 구출 작전	김성수
2-36	과학자와 놀자	김성화 · 권수진
2-37	명절 속에 숨은 우리 과학	오주영
2-38	소피의 세계	요슈타인 가아더
2-39	씨앗을 지키는 사람들	안미란
2-40	아인슈타인의 청소년을 위한 물리학	위르겐 타이히만
3-1	위험한 과학책	랜들 먼로
3-2	지엠오 아이	문선이
3-3	청소년을 위한 천문학 여행	위르겐 타이히만
3-4	뭘 말해도 괜찮아	이남석
3-5	홍경래 : 세상은 백성의 것이다	작자미상, 김기택
3-6	10대를 위한 정의란 무엇인가?	마이클 샌델, 신현주
3-7	10원으로 배우는 경제 이야기	미셸 르 뒤크, 나탈리 토르지망
3-8	고전을 발칵 뒤집은 어린이 로스쿨	정은숙, 유재원
3-9	공부가 되는 그리스 로마 신화	글공작소
3-10	궁녀 학이	문영숙
3-11	그래서 이런 법이 생겼데요	우리누리
3-12	내 친구에게 생긴 일	미라 로베
3-13	마사코의 질문	손연자
3-14	미국사 편지	안효상
3-15	박지원의 한문소설 : 한 푼도 못되는 그 놈의 양반	전국국어교사모임, 김수업
3-16	백번 읽어야 아는 바보	김흥식
3-17	서찰을 전하는 아이	한윤섭

NO.	책명	저자
3-18	서둘러도 괜찮아	카렌 쿠시멘
3-19	세계를 움직이는 국제기구	박동석
3-20	Steve Jobs를 꿈꿔봐	임원기
3-21	어린 임금의 눈물	이규희
3-22	어린이를 위한 4차산업혁명 안내서	정윤선
3-23	열두살에 부자가 된 키라	보도 섀퍼
3-24	왜요, 그 말이 어때서요?	김청연
3-25	우리나라 구석구석 지도 위 한국사	정일웅, 표정옥
3-26	재미있는 선거와 정치 이야기	조항록
3-27	좋은 돈, 나쁜 돈, 이상한 돈	권재원
3-28	펠릭스는 돈을 사랑해	니콜라우스 피퍼
3-29	주식회사 6학년 2반	석혜원
3-30	청소년을 위한 1010 경제학	한스 크리스토프 리스
3-31	청소년을 위한 경제의 역사	니콜라우스 피퍼
3-32	초정리 편지	배유안
3-33	한글을 지킨 사람들	김슬옹
3-34	할머니의 수요일	이규희
3-35	헨리 데이비드 소로	엘리자베스 링
3-36	간송미술관에는 어떤 보물이 있을까?	김민규
3-37	한 눈에 반한 우리 미술관	장세현
3-38	티나와 리코더	마르코 짐자
3-39	디자인은 어디에나 있어!	이남석 · 이규리 · 이규린
3-40	한 권에 담은 세계 음악	파우스트 비탈리아노

부록2: 은유법 생성의 6가지 원칙과 제한 조건

이제 우리는 핵심 주제어가 어떤 종류의 명사를 선택하여 빗대면 이상적인 생생 비유가 되는지 살펴보자. 논술 채점 교수도 설득하여 높은 점수를 받고 일상생활 속에서도 훌륭한 비유 표현으로 공감과 인정을 받는 행복한 삶을 살 수 있을 것이다. 그렇다면 주관념과 보조관념이 형용사에서 명사로 전환된 것(transformed nouns)을 포함하여 모든 명사류가 생생한 비유법을 생성하려면 어떤 명사류끼리 조합이 되어야 하는지 검토하여 정리해보자.

먼저 명사류를 다음 표와 같이 대별해 볼 수 있다.

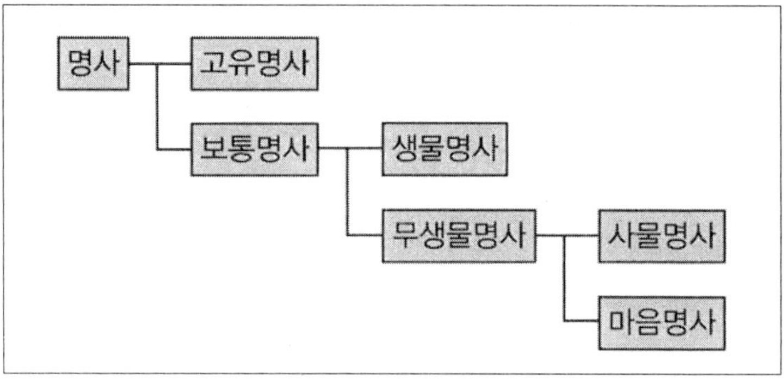

첫째, 명사는 고유명사와 보통명사 (=일반명사)로 나눌 수 있다.

(1) 고유명사: 해, 달, 지구, 강, 바다, 호수 등 고유한 이름을 가진 하나만 존재하는 대상으로 사물명사와 더불어 은유법을 이루면 보다 생생하며 역동적인 이미지화가 가능하다.

(2) 일반명사: 고유명사와 달리 이름을 가진 존재 대상인 보통명사가 여기에 속한다. 이 보통명사는 다시 생물명사와 무생물

명사로 하위분류된다.

(3) 생물명사(+animated): 살아 있어 활성화(+animated) 자질을 갖는 명사로 하위분류하면 [+인간(human)] 자질을 가진 명사류와 [-인간, (+no-human)] 자질인 동물류와 식물류로 대별된다. 대개 '사람'을 다른 동물과 식물에 빗대어 비유법을 많이 사용할 수 있다.

[예] 사람(아빠, 엄마, 형, 동생, 친구 등), 동물(호랑이, 개, 소, 생선 등), 식물(꽃, 나무, 채소 등)

(4) 무생물명사(-animated): 사람이 인위적으로 만든 비활성화된(-animated) 자질을 갖는 대상으로서 일과 물건 등 사물을 지칭하는 사물 명사로 [구체적(+concrete)] 자질을 갖는 것과 심리, 사념, 감정, 정신 등을 나타내는 [추상적(+abstract, -concrete)] 자질을 갖는 마음 명사로 대별된다.

(5) 사물 명사(+concrete): 형식이 있어 사실적으로 보고 듣거나 느낄 수 있는 일이나 대상들이다.

[예] 책, 책상, 의자, 종이, 비행기, 배, 자동차, 로봇, 여행, 학교, 영화 등

(6) **마음 명사(-concrete, +abstract)** : 현실과 떨어져 있거나 셀 수 없는 (-countable) 양적 자질로서 심리, 사념, 정신, 감정 등을 나타내는 명사류

[예] 아름다움, 용기, 재능, 마음, 인내 등

(7) **품사전환 된 명사류** : 원래 동사나 형용사인데 어미 '음/움'이나 '기'를 붙여 명사로 품사전환 된 명사들로 행위명사류 보

다 마음 명사류가 비유법 형성으로 더 자연스럽다.

[예] 1) 형용사: '아름답다'-'아름다움', '예쁘다'-'예쁨', 다정하다'-'다정함'

2) 동사: '마시다'-'마시기', '읽다'-'읽기', '쓰다'-'쓰기'

위의 명사류가 은유법을 생성하려면 비활성화 명사가 활성화 명사와 조합되거나 추상적인 명사가 구체적인 명사와 조합되는 게 보편적 원칙인 바 다음과 같은 **여섯 가지 원칙 내지 제약 조건하에서 이루어진다.**

1) 첫째, 생물명사는 생물명사나 고유명사와 조합이 되어야 은유법 이미지화가 가능하다.

(예1) 저 청년(A)은 호랑이(B)다.

(예2) 어머니는 바다이다.

위의 (예1)에서 '청년'과 '호랑이'는 생물명사에 속하는데 특히 '청년'은 [+인간] 자질을 갖고 있다. 두 사이의 유사점은 '힘이 세고 용맹스럽다'는 자질이며, 차이점은 '청년은 마을에 사나 호랑이는 깊은 산 속에 산다'는 물리적 자질이다. 이 유사점과 차이점을 이용하여 보다 생생하고 역동적인 은유법을 만들어 보면 '힘이 세고 용맹스런 저 청년은 마을에 사는 호랑이다' 이거나 '사납고 용맹스런 호랑이는 깊은 산 속에 사는 청년이다'가 된다. 후자인 'B=A'의 경우 은유법 이미지화 조건을 충족하려면 지시관형사인

'저'가 붙음으로써 '청년'이 특칭화 되어 비로소 이미지화가 가능하다. 즉, 관형사가 없는 '호랑이는 청년이다'는 일반화 자질을 가져 더 이상 은유법 이미지화가 되지 않는다. (예2)에서 '어머니'는 생물 명사이며 [+인간] 자질을 갖는데 '바다'는 고유명사이다. 두 대상 사이의 유사점은 '풍요롭다'는 자질이지만 차이점은 '어머니는 온화하나 바다는 조용하다가 사나워지기도 한다'는 것이다. 이 경우 유사점과 차이점을 다 이용하여 새로운 역동적 은유법을 만들면 '풍요로운 어머니는 온화한 바다이다'이거나 '풍요로운 바다는 조용하다가 사나워지기도 한 어머니이다'가 된다.

2) 둘째, 무생물이며 구체적인 사물명사는 생물명사나 고유명사 그리고 정서적 자질이 함유된 사물명사와 조합이 되어야 은유가 자연스럽다.

(예3) 책은 친구이다.
(예4) 축구장은 콩나물시루이다.
(예5) TV는 달이다.

(예3)에서 '책'은 무생물 명사이고 '친구'는 생물명사이다. 두 사이의 유사점은 '다정한 만남'이다. 반면에 차이점은 '책은 눈으로 보고 사귀나 친구는 마음으로 대하고 사귄다'이다. 이리하여 유사점과 차이점을 종합하여 이미지화하면 '유익하고 다정한 책은 눈으로 보고 사귀는 친구이다'이거나 '유익하고 다정한 친구는 마음으로 대하고 사귀는 책이다'가 되어 처음 은유보다 더 생생하고

역동적인 은유법이 된다. (예4)에서 '축구장'은 무생물 명사이고 '콩나물시루'도 무생물 명사이다. 두 사이의 유사점은 '빽빽히 들어차 있다'이고 차이점은 '축구장은 사람으로 가득한 데 비해 콩나물시루는 나물로 가득 차 있다'는 것이다. 그리하여 생생한 새 은유법을 만들어 보면 '빽빽한 축구장은 사람으로 가득한 콩나물시루이다'이거나 '빽빽한 콩나물시루는 나물로 가득한 축구장이다'가 된다. (예5)에서는 'TV'는 무생물 명사이고 '달'은 고유명사이다. 두 사이의 유사점은 '보고 즐긴다'이며 차이점은 '달은 하늘에 떠있으나 TV는 안방에 있다'는 것이다. 이리하여 우리는 '우리가 보고 즐기는 달은 하늘에 떠있는 TV다'이거나 '우리가 보고 즐기는 TV는 안방에 있는 달이다'로 이미지화하면서 보다 생생하고 역동적인 은유법을 만들 수 있다.

위의 예 (3-5)에서 보듯이 무생물 명사류가 보다 생생하고 역동적인 비유법 이미지화가 이루어지려면 보고, 듣고, 희로애락을 느끼는 감정적 내지 정서적 자질(emotional features)과 연결되어 두 대상 사이의 유사점이 더 돋보여야한다는 제약 조건이 있다.

3) 셋째, 추상적인 마음명사는 고유명사나 사람 자질의 생물명사와 조합할 경우에 은유법 이미지화가 가장 자연스럽다.

> (예5) 태양은 열정이다.
>
> (예6) 내 마음은 호수요. 그대 저어 오오.

(예5)에서 '열정'은 인간의 감정을 나타내는 추상적인 마음명사

이며 '태양'은 구체적인 고유명사이다. 두 사이의 유사점은 '뜨겁다'는 자질이며, 차이점은 '태양은 하늘에 있으나 열정은 사람 마음 속에 있다'는 점이다. 이 유사점과 차이점을 이용하여 새로운 역동적 은유법을 만들면 '뜨거운 태양은 하늘에 있는 열정이다'이거나 '뜨거운 열정은 마음속에 있는 태양이다'가 된다. (예6)에서 '마음'은 추상명사이며 앞선 (예5)와 더불어 이 자질은 인간 내부에 존재한다. '호수'는 구체적인 고유명사이다. 두 사이의 유사점은 '잔잔하다'는 자질이며 차이점은 '마음은 인간 속에 존재하나 호수는 자연 속에 존재한다'는 것이다. 이 유사점과 차이점을 이용하여 보다 생생한 은유법을 만들면 '잔잔한 내 마음은 내 속에 존재하는 호수이다'이거나 '잔잔한 호수는 자연 속에 존재하는 내 마음이다'가 된다.

4) 넷째, 두 명사류 사이의 유사성이 너무 비슷하면 동일한 자질을 지닌 범주(category)에 속하여 차이점이 전혀 없어서 은유법 이미지화가 이루어지지 않는다.

(예7) 독수리는 솔개이다.
(예8) 항공모함은 잠수함이다.

위의 (예7)에서 두 대상 '독수리'와 '솔개'가 모두 '야생새'라는 자질을 갖고 동일 범주에 속하며, (예8)에서 '항공모함'과 '잠수함'도 '군함'이라는 자질을 지녀 동일 범주에 속하기 때문에 은유법 이미지화가 이루어지지 않는다.

5) 다섯째, 두 명사류가 정반대의 자질을 가진 경우도 이미지화가 이루어지지 못 한다.

(예9) 전쟁은 평화이다.

(예10) 한반도의 **평화**는 총성 없는 **전쟁**이다.'

위의 (예7-8)와는 반대로 (예9)에서 '**전쟁**은 **평화**이다'처럼 두 명사가 정반대의 의미 자질을 가진 경우 상호 대립되어 유사점이 전혀 없으므로 이미지화가 불가능하다. 그러나 이 두 명사가 관형사(=매김씨)를 수반하여 특성화를 이루면 은유법 이미지화가 이루어진다. 즉, 위의 (예10)처럼 두 대상이 관형사인 '한반도의'와 '총성 없는' 등을 동반하여 일반성 자질에서 벗어나 특수성 자질을 띄면 은유법 이미지화가 가능하다.

6) 여섯째, 동사와 형용사는 '-움'이나 '-음' 혹은 '-기'를 붙여 어형이 변화하여 명사류로 품사 전환 가능하다. 이 경우 동사에서 명사로 전환한 것들은 '행위 명사'가 대부분이어서 일부만 은유가 가능하나 대부분 설명문이 되어버린다. 반면에 형용사에서 명사로 전환한 것들은 사람의 심리, 정신, 감정 등과 같은 추상적 자질의 '마음 명사류'인데 이들은 인간자질을 가진 생물명사나 같은 마음 명사 부류끼리 조합하여 은유법을 생성하는게 자연스럽다.

(예11) **애달프다**는 **그립다**이다 — 애달픔은 그리움이다.
(예12) 춘향의 애달픔은 그리움이다.

(예11)에서 '애달프다'라는 형용사는 '애달픔'으로 '그립다'라는 형용사도 '그리움'이라는 마음 명사로 품사 전환되었다. (예12)에서는 '애달픔'과 '그리움'이 춘향이라는 고유명사인 한 인간의 마음임을 알 수 있다. 그리하여 한국 가곡 비목에서 보았듯이 유사점과 차이점을 이용하여 이미지화하면 보다 생생한 은유법인 "춘향이 <u>사랑하여</u> 그리워함은 <u>간절하고 안타까운</u> 애달픔이다."가 된다.

부록3 : 형용사에서 품사 전환된 명사

위의 6)에서 보았듯이 형용사가 비유를 생생하게 만드는데 동사보다 더 역동적이고 감성적이어서 형용사에서 명사로 품사 전환된 명사를 자주 접하여 비유를 자유자재로 능란하게 사용하는 게 창의적 비법이 될 것이라고 생각하여 요긴한 단어를 중심으로 가나다 순으로 모아 보았다.

[가]

- 감연함 : 과감스러움
- 감쪽같음 : 꾸민 일이나 고친 물건이 전혀 알아차릴 수 없도록 티가 나지 아니함
- 개떡같음 : 마음에 들지 않아 하찮음
- 개운함 : 몸이나 기분이 상쾌하여 가뜬함
- 거기중함 : 한쪽에 치우치지 아니하고 중간쯤 되어 있음
- 거창스러움 : 보기에 일이 엄청나게 큼
- 거추장스러움 : 주체하기 어려워 다루기 거북함
- 거함 : 지형이 깊고 으슥함
- 걸걸함 : 외양이 준수하고 성질이 쾌활함
- 겸연쩍음 : 미안하여 면목이 없음
- 고부랑함 : 안으로 옥아 들어 곱다
- 곰살궂음 : 성질이 부드럽고 친절함
- 궁박함 : 몹시 곤궁함
- 궁상맞음 : 꾀죄죄하고 초라함
- 궤휼함 : 야릇하고 간사스러움

• 깔깔함 : 마음이 맑고 바르고 깨끗함
• 기걸함 : 기이할 정도로 뛰어남
• 기승스러움 : 보기에 남에게 지지 않고자 하는 성미가 굳세고 억척스러움

[나]

• 납덩이같음 : 분위기가 매우 침울함; 몸이 몹시 피곤하여 무겁고 나른함
• 내허함 : 속이 빔
• 내움(=냅기) : 연기 기운으로 목구멍이나 눈이 쓰라림
• 넋없음 : 제 정신이 없이 멍함; 어떤 일에 열중하여 제 정신이 없음
• 노골스러움 : 보기에 있는 그대로를 숨김없이 드러냄
• 노교함 : 노련하고 교묘함
• 노적스러움 : 말, 표정, 몸짓 따위를 일부러 지어 하는 듯 함
• 농염함 : 아주 요염함
• 농후함 : 진하거나 짙음; 어떤 경향이나 기색 따위가 뚜렷함
• 눅진함 : 성질이 부드러우면서 끈기가 있음 (그는 눅진하여 잘 참는다)

[다]

• 다닥다닥함 : 자그마한 것들이 한 곳에 많이 붙어 있음
• 다소곳함 : 말없이 고개를 소곳이 하고 온순한 태도가 있음
• 단연함 : 결단하는 태도가 있음
• 담참 : 담이 커서 겁이 없고 여무짐
• 데면데면함 : 성질이 꼼꼼하지 않아서 행동에 조심성이 없음
• 도담함 : 야무지고 탐스러움: 나오는 말이 물 흐르듯 거침이 없음
• 동동촉촉함 : 매우 삼가서 조심함
• 되바라짐 : 너그럽게 감싸주는 맛이 없음; 어린이가 얄밉도록 지나치게 똑똑함

• 되통스러움 : 하는 짓이 찬찬하지 못하여 일 저지르기를 잘 함
• 뒤넘스러움 : 되지 못하게 건방짐
• 뒤숭숭함 : 느낌이나 마음이 어수선하고 불안함
• 득달같음 : 잠시도 늦추지 않음 (일을 해치움이 득달같음이다)

[라] 없음

[마]
• 마뜩찮음 : 제법 마음에 들지 아니함; 마뜩함: 제법 마음에 들만 함
• 말짱함 : 흠이 없고 온전함
• 맛깔짐 : 음식이 입맛에 맞음
• 명미로움 : 아름답고 고운 데가 있음
• 모짐(모질다) : 마음씨가 몹시 매섭고 독함
• 목석연함 : 나무나 돌같이 아무 감정이나 반응이 없음
• 무탈함 : 까다롭거나 스스럼이 없음; 탈을 잡힐 데가 없음

[바]
• 박악함 : 됨됨이가 변변하지 못하고 아주 나쁨
• 반반함 : 일처리가 깨끗함
• 부루퉁함 : 못마땅하여 성난 얼굴 빛
• 분분함 : (세상, 백설, 의견 등) 떠들썩하고 뒤숭숭함
• 빛있음 : 곱거나 아름다움
• 뻔함 : 일의 결과가 어떠할지 뚜렷하다
• 뿌리깊음 (역사) : 근원이 깊고 오래되어 튼튼함

[사]

• 사뜻함 : (차림새가) 깨끗하고 말쑥함

• 사박스러움 : 보기에 독살스럽고 야멸침

• 사분사분함 : 마음씨나 성질이 보드랍고 상냥함

• 사위스러움 : 불길한 느낌으로 마음이 꺼림칙함

• 산드러짐 : 시원시원하고 말쑥함 , (산드러진 인사, 파란 하늘 등)

• 서름함 : 사이가 가깝지 못하여 서먹함; 익숙하지 못하여 좀 설다.

• 섬뜩함 : 소름이 끼치도록 끔찍하고 무섭다

• 성근함 : 성실하고 부지런함

• 소담함 : (포도 등) 풍족하고 아름다와 탐스럽다

• 소연함 : 밝고 또렷함 (선행은 복 악행은 화는 소연한 이치다)

• 속절없음 : 사람이 늙어가는 것은 속절없을 뿐이다. (어찌할 도리가 없음)

• 송구스러움 : 두려운 마음이 드는 듯 함

• 싱숭생숭함 : 마음이 갈팔질팡 들떠 있음

• 씽퉁함 : 무엇이 못마땅하여 마음이 틀어져 있음

[아]

• 아련함 : 기억이 또렷하지 않고 흐릿함

• 안온함 : 조용하고 편한함

• 알딸딸함 : 뜻밖의 일을 당하거나 여러 복잡한 일로 정신을 가다듬지 못함

• 앙증맞음 : 작은 것이 다 갖춰 깜찍함

• 애상스러움 : 슬퍼하고 가슴 아파하는 듯 함

• 야속함 : 인정이 없고 쌀쌀함; 언짢고 섭섭함

• 약기 : 꾀바르고 눈치가 빠름

• 약약함 : 싫증이 나서 괴롭고 귀찮음

• 어근버근함 : 서로 뜻이 맞지 아니하여 사이가 벌어져 있음

• 어리벙벙함 : 어떻게 하여야 좋을지 몰라서 정신이 몹시 얼떨떨함

• 어리숭함 : 그런 것 같기도 하고 그렇지 않은 것도 같아 분간하기 어려움

• 어수룩함 : 똑똑하지 못하고 좀 어리석은 데가 있음

• 어엿함 : 행동이 당당하고 떳떳함

• 언짢음 : 마음에 들지 않음

• 엇구수함 : 말이나 이야기가 듣기에 그럴듯한 맛이 있음 (엇구수한 말솜씨/수작)

• 엇먹음 : 사리에 어그러진 말 짓으로 엇가며 비꼼

• 영악함 : 이해에 밝고 열성이 대단함

• 오달지기 : 허수한 데가 없이 야물거나 실속이 있음

• 왕청됨 : 차이가 엄청나서 엉뚱함

• 요요함: 한창 피어올라 아리따움;; 정신이 어지러워 뒤숭숭함

• 울멍줄멍함 : (솟은 봉우리들 등) 크고 뚜렷한 것들이 고르지 않게 많음

• 유들유들함 : 부끄러운 줄 모르고 뻔뻔함

• 유유함 : 한가하고 여유가 있음

• 은근함 : 어떤 정취가 그윽함 (은근한 맛); 속으로 생각하는 정도가 간절하거나 깊음

[자]

• 자발없음 : 참을성이 없고 행동이 가벼움

• 장미함 : 매우 훌륭하고 아름다움

• 장함 : 두드러지게 훌륭함: 매우 갸륵함

• 재롱스러움 : (어린아이가) 총명한 말과 귀여운 짓으로 재미있음

• 점직함: 부끄럽고 미안함

• 존엄함: 인품이나 지위가 높아 못 범함

• 지겨움: 진저리가 나도록 싫증이 나고 지루하다

• 찜찜함 : 마음에 걸리는 것이 있어 계면쩍고 거북함

[차]

• 착실함 : 침착하고 실답다
• 착함 : 마음이나 행동이 바르고 어질다
• 찹찹함 : 마음이 들뜨지 않고 조용함
• 창결함 : 몹시 서운하거나 섭섭함
• 창창함 : 모습이나 행동이 당당함; 앞날이나 갈길이 멀고 아득함
• 청담함 : 마음이 깨끗하고 담박함: 맛이 산뜻하고 개운함
• 청아함 : 맑고 아담함
• 초초함 : 근심과 걱정으로 시름겨움; 바쁘고 급함; 산뜻하고 말쑥함
• 초탁함 : 남보다 훨씬 뛰어남
• 충장함 : 기세가 충만하고 씩씩함
• 츱츱함 : 순수하지 못하고 인색하며 염치가 없음 (츱츱함은 치를 떨 수도 있음)
• 치사함 : 떳떳하지 못하고 남부끄러움
• 치심 : 부끄러움을 아는 마음
• 치함 : 성품이나 몸 차림새가 간결하고 깨끗함
• 침용함 : 침착하고 용맹스러움
• 침잠함 : 성정이 깊고 차분해서 겉으로 드러나지 아니함

[카]

• 코리타분함 : 냄새가 (곯은 풀처럼) 매우 고리고 타분함; 하는 짓이나 성미 따위가 매우 다랍다(=더럽다).
• 쾌적함 : 몸과 마음에 맞아 기분이 매우 좋음

[타]

• 탁연함 : 뛰어나 의젓함

• 탁월함 : 뛰어남

• 탁함 : 소리, 공기, 얼굴(궁한 기운), 성질(흐리터분), 마음(바르지 못 함)

• 탄명스러움 : 똑똑하지 못하고 흐리멍텅한 태도가 있음

• 탄실함 : 단단하고 실함

• 탐스러움 : 마음이 끌리도록 보기 좋음

• 탐탁함 : 모양이나 태도 또는 어떤 일이 마음에 들어맞다.

• 태고연함 : 아주 오랜 옛날의 것인 듯 함

• 태깔스러움 : 보기에 교만한 태도가 있음

• 태무심함 : 무엇에 거의 마음을 쓰지 아니함

• 태연함 : 태두나 기색이 예사로움

• 투깔스러움 : 투박하고 거칠음

• 투미함 : 어리석고 둔함

[파]

• 편함 : 거북하거나 괴롭지 않음; 근심이나 걱정이 없음

• 포실함 : 살림이 넉넉하고 오붓함

• 포악함 : 사납고 악함

• 표창함 : 훌륭한 일을 드러내 밝힘

• 표표함 : (인물이 표표하다) 눈에 띄게 두드러짐

• 푸근함 : 감정이나 분위기, 또는 자리가 딱딱하지 않고 부드러움

• 풍미함 : 풍성하고 아름다움 (지금은 풍미한 세상이다)

[하]

• 하염없음 : 이렇다 할 생각이 없음; 그침이 없음 (하염없이 쏟는 눈물)

• 하잘것없음 : 시시하여서 할만한 값어치가 없다

• 하전함 : 무엇을 잃거나 한 것과 같이 좀 서운한 느낌이 있음

• 한심함 : 정도가 넘거나 부족하여 가엽고 딱함

• 한적함 : 한가하고 고요함; 한가히 있어서 마음에 맞갖다

• 해괴함 : 놀랄 만큼 괴상야릇함 (일식은/ 해마는 참 해괴하다.)

• 허랑함 : 말이나 행동이 허황하고 착실하지 못하다

• 허무함 : 텅 비어 실상이 없음; 매우 허전하고 쓸쓸함

• 헌거로움 : 풍채가 좋고 의기가 당당해 보임

• 혁혁함 : 두드러지게 빛남

• 화사함 : 화려하고 사치스러움; 밝고 우아함 (봄 햇살은 웃음이다: '화사한')

• 활수함 : 무엇이든지 아끼지 않고 쓰는 솜씨가 시원스러움 (인정 넘침은 활수함이다)

• 황공함 : 지위나 위엄에 눌리어 두려워함

• 후박함 : 인정이 두텁고 거짓이 없음

• 훈훈함 : 마음을 부드럽게 할 만한 따뜻함이 있음 (그녀의 인정은 훈훈함이다)

• 훤함 : 무슨 일의 조리나 속내가 뚜렷함 (얼굴이 훤한 그는 행동도 훤함)

• 휑뎅그렁함 : 무서울 정도로 텅비고, 넓기만 함

• 휑함 : 무엇에나 막힐 것 없이 다 잘 알아 매우 훤함

생생해진 성경 속 비유로 은혜받고 창의력 키우자

Be Blessed and Be Creative by Making Vivid Parables in the Bible

Kim, Gong-dae

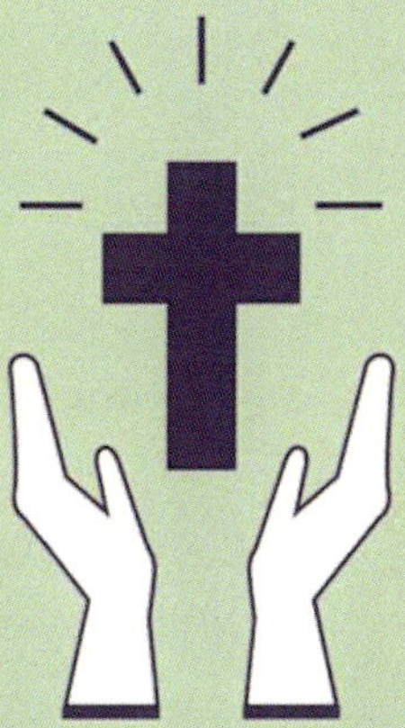

UUP

Table of Contents

A Prayer of Thanks

Heavenly Father, gracious and without boundless love,

I would like to thank you for allowing me to obtain a patent under the title of 'Device and Method for Generating Analogous Sentences (No. 2081512)' while I was a professor at the University of Ulsan. I would also like to thank you for using this as a reference for art materials such as music, fine art, poetry, and movies to create a parable sentence scenario and a video and upload it to YouTube under the name of 'Vivid Metaphor'.

When the Lord spoke of the parable of the sower and the parable of the kingdom of heaven, He said to give more grace to believers who have ears to hear. The Lord bore the cross with His great love to atone for our sins. Thank you for giving me the talent of linguistics so that countless people in the world can understand it more vividly in the dimension of evangelism to the ends of the earth, and for allowing me to turn the words of the Lord's parables into vivid parables with all my heart and soul.

Elder Pastor In-joong KIM of Ansan Dongsan Church and Senior Pastor Un JO of Ulsan Daeyoung Church cheered for me, saying that my making of vivid parables is very good. It is truly touching and overflowing with great grace as you draw the parables more easily and vividly.

Now, in the era of prosumers, where producers and consumers share products like IKEA assembled furniture products, we Christians are grateful that we can practice changing the parables in the psalms and proverbs into vivid metaphors on our own. The answers through this training can give a variety of answers depending on each person's experience and personality, so we appreciate that we develop emotions of joy and sorrow in the similarity analysis and increase our creativity in the different analysis.

In the future, I pray in Jesus name, believing that our team, G.J. Hwang, S.A. Choi and G.H. Oh will produce with me a video of the Bible parable from this book and watch it with children as well as the elderly. Amen!

April 19, 2022
Gaepo Raemian Forest, Gangnam-gu, Seoul
Professor Emeritus of University of Ulsan, Gong-dae KIM

1. Characteristics of figurative sentences

The figuration or the analogy compares the subjective idea to the auxiliary idea, that is, it is expressed in a little surrounding way rather than saying it as it is. It is largely divided into metonymy, synecdoche, metaphor, and simile. Recently, cognitive linguists are showing various viewpoints that the above four analogies are doubly mixed to generate metaphors such as metaphtonymy.

1.1 Simile

The simile is an element to be compared, and the object of the tenor, which is the actual element to be expressed, is directly connected to the object of the vehicle, which is compared using a metaphorical connecting word such as "like", so that "A is (　) like B. =A is as (　) as B."

[Example 1]

'A friend is as reliable and strong as a medicine (= A friend is strong and reliable like a medicine).'

In the example above, the original idea of 'friend' expresses the attribute of similarity as an adjective 'reliable and strong' that directly connects the auxiliary idea of 'remedies' to reveal emotions. However, in order to find these similarities, the emphasizing process of injecting emotions of joy or sorrow into the main and auxiliary ideas and the process of imaging and abstracting by thinking deeply about commonalities are very important.

1.2 Metaphor

Compared to the above similes, the other three metaphors express their characteristics or qualities by indirectly connecting the objects to be compared, and the degree of meaning implicitness gradually increases in the order of synecdoche, metonymy, and metaphor. Thus, metaphors such as "A is B" are imaged to create new creative meaning. After 'comparative element B' approaches 'compared element A' and analyzes not only similarities but also differences, these two attributes are used to create vivid images. It reveals the principle of making a metaphor, for example, as follows.

[Example 2]

'A friend is a medicine.'

In the above example, the main idea of 'friend' indirectly connects to the secondary idea of 'remedies'. In other words, the similarity is 'reassuring' as stated in the simile. However, in addition to that, each of us can share various thoughts by identifying 'strength', 'reliability','sweet', 'lovely', etc. in common based on our own experiences and knowledge. On the other hand, in order to reveal the difference between the two, it is necessary to establish a contrasting reference point. For example, time, place, mode, characteristic, etc. Just like finding similarities in similes, thinking deeply and imaging in finding differences is a very important creative process, which allows us to be very flexible in our thinking by boldly breaking away from prejudices and stereotypes. So, finally, with the difference, you can say something like, 'A friend is in the mind, but the medicine is in the body'. By linking these two similarities and differences into one, a vivid metaphorical sentence is created as follows.

[Example 3]

'A friend who gives you reliability and strength is a medicine in your heart.'

Revealing these differences is the linguistic tool of the genius that makes the similarities stand out and make metaphors very vivid.

1.3 Metonymy

When a relationship such as 'cause and effect', 'higher element and lower element' or 'content and form' is formed between the main idea and the auxiliary idea, it becomes a metonymy sentence. An example of 'cause and effect' is as follows.

[Example 4]

'When war breaks out, **the president** bears **the cross**.'

In the above [Example 4], the auxiliary concept 'Cross' symbolizes 'Jesus' sacrifice on the cross for our sins, so the main idea 'President' is changed to the meaning of the same victim as Jesus and is a metonymy sentence. This time, the metonymy with the characteristics of content and form is as follows.

[Example 5]

'A pen is stronger than a sword.'

The real meaning of the main concept 'pen' is 'culture', and the secondary concept 'sword' means 'armed force' or 'military'. 'Pen' and 'culture' are different kinds and are used instead to form a metonymy sentence. This time, the metonymy with the characteristics of upper and lower elements is as follows.

[Example 6]

'My brother is the pillar of our family.'

'Pillar' is a sub-element of the house, and its real meaning is 'the most important being', and it refers to the main idea 'older brother'.

1.4 Synecdoche

If a relationship of 'whole and part' or 'part and whole' is formed between the main idea and the auxiliary idea, but substitutes a part of the same type of thing, a syntactic sentence is created, as shown in the following example.

[Example 7]

'Kim Yuna is from Korea.'

In the above [Example 7], the main idea 'player Kim Yuna' is one of the Korean citizens, so it is a part of the people, and this forms the synecdoche process representing the whole of the secondary idea 'Korea'. Let's look at two more following examples:

[Example 8] 'Does spring come to the stolen fields?'

[Example 9] 'Give me death if it's not bread.'

The 'field' in [Example 8] above refers to the 'homeland', and it is a synecdoche sentence that expresses the entire 'national land' through the 'fields' that are part of the national territory. Also, in [Example 9] above, 'bread' refers to 'food' that humans eat, and the same type of 'food' is expressed through 'bread'.

* In [Example 7], in place of the Olympic gold medalist in figure skating, 'Kim Yuna', who made a world-famous name in the sports world, 'Sumi Jo' soprano singer or 'BTS' in the music world can be substituted.

* Metaphtonymy:

This is a term used by linguist Louis Goossens in his thesis 'Metaphtonymy: The Interaction of metaphor and metonymy in expression for linguistic action (2002: 349-377)'. This suggests that it could be a metaphor. For example:

> [Example]
> 'After the statement, a flood (B) of protests (A) poured in.'

The metaphorical relationship between the main idea 'protests' and the secondary idea 'flood' establishes 'protests are a flood'. The similarity is 'to pour in' and the difference is inferred to be 'a protest is after a statement and a flood is after a heavy rain'. Thus, A and B are different kinds of nouns, and 'protest' represents 'human attack' and 'flood' expresses 'natural attack'. Here is a vivid metaphor:

'The pouring in protests are the floods that followed after the statement.'

2. The need for transformation into vivid metaphorical sentences

The need for metaphors is because, first of all, metaphors are tools of thought and the basis of other ideas. The biggest advantage is that we can flexibly express our thoughts and words through image training in analogy, so that we can develop strong persuasion, appropriate expression, and new creativity.

Second, analogies including metaphor are the primary tools that make up our thoughts, language, actions, and science and art. The language we use always reflects the important characteristics of the physical and social environment, and the fundamental values of our society and culture are closely linked to their metaphorical structures. These metaphorical thoughts are normal and ubiquitous in our mental lives, consciously or unconsciously. The metaphorical thinking used in lyrics and poetry also appears in everyday concepts such as time, events, causality, emotions, ethics, business, etc. Therefore, to understand metaphors well is to understand well the spiritual aspects that make up our daily thoughts, language, and social and cultural actions. If the 20th century was the age of industrialization and expertise, the 21st century is the age of creative thinking and service. Creativity and expressiveness are emerging as enormous powers that drive our education, economy, and society today. The analogy, centered on metaphor, performs a creative function of changing or expanding meaning by opening a new field of reality by understanding and experiencing one kind of object from the perspective of another. Therefore, it is the first tool of thought created through categorization and the mother of other tools of thought. Therefore, it is a wise way to brighten our future for anyone to master the tools of thought through the learning and training of making metaphors.

Third, it is to produce new products and inventions that can overcome the conditions and barriers of our reality based on creativity and imagination, the source of wealth. At the national level, when each citizen receives a high-quality education and applies the knowledge he has learned and flexible metaphorical thinking to various fields of study, technology, and scientific research, innovative new products and inventions are created and become a high-priced brand of the Republic of Korea. Your status will be very high. Tom Peters, a prominent business scholar at Stanford University in the United States, also says that it is people, especially creativity and imagination, that determine the success or failure of a company, not strategy, organizational structure, or system. Such imagination and creativity become a powerful force that influences our society and economy.

2.1 Emotional development

As mentioned before, the 21st century is the age of service, so the customer is king. Businesses must treat and service customers like kings to impress them and become true customers and come back again. In a word, in order to run a business successfully, you have to faint customers by serving them kindly and courteously. Churches are no exception, and the staffs taking care of new believers in uniforms, who saw and learned from watching the staff of large department stores bow their backs at a 90-degree angle and greet new believers with a bright smile and guided them to their seats. This makes a very good first impression of the church.

This emotional development mobilizes all five senses, such as sight, hearing, touch, smell, and taste, when revealing the similarities between the main idea and the auxiliary idea in a simile while making vivid metaphors. It influences and sensitizes emotions. Thus, through empathy, the musician sings or plays an instrument, and the talent fascinates the viewers by acting in a difficult scene with a wonderful sensibility. As shown in [Figure 1] below, the emotional quotient (EQ) from the similarity stage is playing the role of one of the two pillars supporting the metaphor.

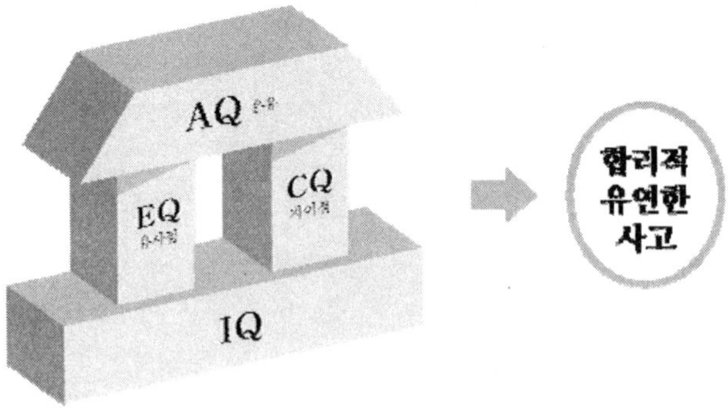

[Figure 1] Rational and flexible thinking

2.2 Creativity Development

Steve Jobs of the United States, who founded the world-famous IT company Apple, mentioned the following about creativity in an interview with WIRED in 1996:

> "①Creativity is just connecting things. When we ask creative people how they did something, they feel a little guilty, because they didn't really do it, ②they just saw something. It seemed obvious to them after a while, that's because they were able to ③connect experiences they've had and ④synthesize new things."

The author came across the interview above while writing the thesis 'Dynamic Characteristics of French Metaphorical Discourse' published at Seoul National University (French Language Education, 2011). After discovering the box, I took this as an opportunity to obtain a patent for 'Method and Apparatus for Generating Metaphorical Sentences (No. 2081512)'. Through such a review, a rational and objective basis for this prototype was prepared to develop creative capabilities.

producing step	**Steve Jobs' Creation process**	**The process of creating a vivid metaphor**
Step 1	Connection of the things	① Connect by presenting two object nouns [Example: Reading is a medicine.]
Step 2	Seeing something	② Visualize similarities [helpful; happy, etc.]
Step 3	Connect the experiences	③ Find differences by categorizing experience and knowledge [Reading is good for the mind, but herbal medicine is good for the body.]
Step 4	Synthesize something new	④ Synthesize similarities and differences to create vivid new metaphors. [Reading that makes the heart happy is a good medicine for the mind.]

[Figure 2]

However, we can raise our children as gifted and geniuses by breaking away from the stereotype that metaphors cannot be created between object nouns, and by improving sensitivity, creativity and expressiveness through the infinite creation of vivid metaphors and the flexibility of metaphorical thinking. For example, the following objects are examples.

[Example 10] '**Piano** (A) is **boat** (B).'

In the above [Example 10], the establishment of a metaphorical relationship between the two objects, the piano and the boat, is not easily understood.

'A piano is a boat.'	
Similarity	'Ride the rhythm' [Piano rides the rhythm of playing, the boat rides on the rhythm of the waves]
Difference	'The piano is on the stage and the boat is floating in the sea'
Vivid metaphor	'The piano that rides the rhythm is the boat on the stage.'

Of course, in the case of object nouns, 'A=B' and 'B=A' also hold, so 'boat (B) is piano (A)' creates a vivid metaphor as follows.

[Example 11] 'Rhythmic boat (B) is a piano (A) floating in the sea.'

Through this analysis, it can be referred to in [Figure 1] above that the two pillars that support the metaphor, the emotional quotient (EQ) and the creativity quotient (CQ), play an important role in making the metaphor alive.

If you refer to the 'World Creativity Index' recently developed by New York University professor Richard Florida, Korea is ranked 31st out of 139 BRICS countries.

His creativity index sub-structures are 3Ts, which are Technology, Talent, and Tolerance. Our country ranks first in the world for technology through automobiles, ships, and electronic products, but ranks 50th in talent index. To make up for this, we plan to open and operate a 'Creative Class' to communicate with one-on-one or small groups, and improve the creative attitude and competency between teachers and students through role plays and quizzes to raise the talent index. In addition, in order to improve the social tolerance index, which is ranked 70th in the world, we should understand and respect each other through foreign language versions, including English and Chinese, and make it a habit of mutual respect through foreign language versions, as a result our social tolerance index would be ranked just like economically and educationally advanced countries.

On the other hand, they are taking an essay test to measure the creative thinking of candidates in the university entrance exam and to have the ability to discover the true truth and principles during the college course. It is believed that creative writing that compares and analogizes two or more paragraphs with each other or compares and analyzes differences can be of great help if we educate and train from elementary school as our way of making vivid analogies.

2.3 Understanding the Parables of Jesus Christ

Jesus Christ was presenting the profound truth about the kingdom of heaven in parables through ordinary everyday events. Of course, since believers have ears to hear, the parable plays a close role in understanding the truth, making the parable of the kingdom of heaven clearer and more mysterious. (Matthew, 13:11-13).

But I believe that God loves all people, so He has given us a language and He wants us to better understand His words of truth through this language. Even now, let's do our best to vividly draw and understand the words of the Lord's parables using the principle of making vivid parables. What we need to be careful of is that theologians say that the Word has one essence but has many ways of application, so we must do our best to maintain the consistency of the Bible interpretation. So, I believe that our vivid similes and metaphor-making principles will be useful not only for pastors, but also for believers and even general readers, as it vividly presents many ways of application while maintaining the consistent thought in the Bible.

3. Similes and Metaphors in the New Testament

Let's start with the 4 Gospels, but there is absolutely no one correct answer to the analysis result, and various thoughts can come out depending on each person's experience and personality. In a word, our vivid metaphor is a creative education that respects individuality and diversity and pursues it.

3.1 The Gospel of Matthew

(1) 5:13: 'You are the salt of the world…'

This is a metaphorical sentence where you can put 'believers' after 'you'. Then, 'you believers' is the main idea and 'salt' is the secondary idea. Let us first consider the similarities between the two. Take a moment to draw and visualize in your head, then state the following answer. There are vario us opinions as follows:

‘1) prevent rot’; ‘2) enhance the taste’; ‘3) to purify’; ‘4) sacrifice’.

Second, consider the difference between the two. As the referenc point for preparation is the time, place, characteristics, etc., prepare in turn, and give your answer with plenty of time to think about it.

‘1) Believers prevent social corruption, but salt prevents food corruption’;

‘2) Believers purify their spirituality, but salt makes food delicious’;

‘3) The believer cleanses the unclean, but the salt cleanses the decaying matter’;

‘4) Believers sacrifice themselves and their possessions, but the salt melts and sacrifices itself’etc.

Now, let's use the similarities and differences as modifiers for our main concept and turn them into vivid metaphors.

[Common Similarity] + [Primary Idea] + [Difference] + [Secondary Idea]

“1) The believer who prevents rot is the salt that prevents social corruption.”

“2) The believer who enhances the taste is the salt that purifies the spirituality.”

"3) The believer who purifies is the salt that cleans the unclean."

"4) A sacrificial believer is the salt of offering himself and his possessions."

As mentioned above, it can be seen that vivid metaphors can be created with various expressions.

(2) 5:14: "<u>You</u> are <u>the light of the world</u>."

In the order of analysis done above, put 'you' followed by 'believers' to create a column as follows.

'You are the light of the world'	
Similarities	1) brighten; 2) warm; 3) sterilize; 4) make it fruitful
Differences	1) The believer brightly illuminates the heart, but the light illuminates the world. 2) The believer warms the heart, but the light warms the body. 3) Believers sterilize crime, but light sterilizes germs. 4) Believers make spiritual maturity, but light makes agricultural products come to fruition.
Vivid metaphor	1) A illumining believer is the light that illuminates the heart. 2) A believer who warms the heart is the light that melts it. 3) The believer who sterilizes is the light that eliminates crime. 4) A believer who brings fruit is the light of spiritual maturity.

As above, four vivid metaphors were created. You, too, can come up with more ideas than this.

(3) 6:23: "The eye is the lamp of the body..."

First of all, since the difference between the main concept 'eye' and the secondary concept 'body' is a metaphor presented as a modifier, it is possible to present a small 'room' and a large 'sea' as a harmonious connetion with the auxiliary idea 'lamp'.

'Eyes are the lamp of the body'	
Similarities	1) see and sense; 2) look in the light
Differences	1) The eyes are in the body, but the lamp is in the room. 2) The eyes illuminate the heart, but the lamp illuminates the interior.
Vivid metaphor	1) The eyes that see and feel are the light of the body. 2) The looking eye is the lamp that illuminates the heart.

As above, we made two vivid metaphors.

(4) 7:24: "Therefore everyone who hears these words of mine and puts them into practice (A) is like a wise man (B) who built his house on the rock."

It is a simile sentence 'A is (   ) like B', but it can be made into a vivid simile by revealing various similarities other than the similarity between two nouns, 'wise'.

"Evreyone who hears these words of mine and puts them into practice is like a wise man who built his house on the rock."	
Similarities	1) obedient; 2) indomitable; 3) have a strong belief
Vivid similes	1) He who hears my words and puts them into practice is like an obedient man who built his house on the rock. 2) He who hears my words and puts them into practice is like an indomitable man who builds his house on the rock. 3) He who hears my words and does them, builds his house upon the rock, like a man who has a strong belief.

(5) 10:16: "Behold, <u>I am sending you</u> out (A) like s<u>heep among wolves</u> (B)…"

The main idea (A) is a simile by comparing it to the secondary idea of (B), which is 'I send you [to the world]'. Therefore, let's consider the similarities between A and B by understanding the properties of 'sheep' and 'wolf'. A sheep is an obedient and gentle animal, but a wolf is a vicious and ferocious animal, so if a sheep is sent to a wolf, it will be torn to pieces.

I am sending you out (A) like sheep among wolves (B).	
Similarities	1) torn to death, 2) conquered by the strong
Vivid similes	1) I am sending you out as sheep among wolves to be ripped to death. 2) I am sending you out as sheep among wolves to be conquered.

Usually, an adjective is derived as an attribute of a metaphor, but it is possible to see that a verb is presented as an attribute as in the above example (5).

(6) 12:40: "As Jonah was three days and three nights in the belly of the great fish, so the Son of Man will be three days and three nights in the heart of the earth."

The similarity between the main idea 'Son of man' (= the word that refers to Jesus as the Messiah) and the auxiliary idea 'Jonah' is expressed as a simile by using the attributes of the verb.

"As Jonah was three days and three nights in the belly of the great fish, so the Son of Man will be three days and three nights in the heart of the earth."	
Similarities	1) experience in darkness; 2) resurrect ; 3) evangelize after resurrection
Vivid simile	- Just as Jonah was three days and three nights in the belly of a great fish and was raised, so the Son of Man will be in the earth three days and three nights, and then he will rise again.

Ultimately, it is a model foreshadowing that Jesus will be resurrected just as Jonah is survived.

(7) 13:31: "The kingdom of heaven is like a mustard seed, which a man took and planted in his field···"

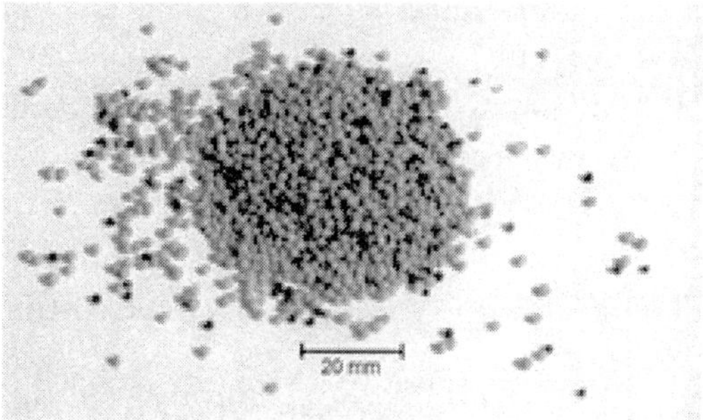

[mustard seed]

According to the interpretation of heaven by biblical scholars, it is said that heaven is a temporal heaven and shows the stage of creation and development of the church. 'The Sower' discusses the ground of the heart that accepts the gospel, and 'Weeds' reveals the temporal facts of good and evil when the gospel grows in the heart, and the quantitative development of the church thus formed is based on the 'mustard seed' above. It is stated in the parable of the simile.

Let's analyze the similarities and transform them into vivid similes.

The kingdom of heaven is like a mustard seed, which a man took and planted in his field.	
Similarities	1) very small; 2) the onset is negligible (=not distinct); 3) full of vitality
Vivid similes	1) The kingdom of heaven is very small, like a mustard seed that a man took and planted in his field. 2) The beginning of the kingdom of heaven is negligible, like a mustard seed that a man took and planted in his field. 3) Heaven is full of vitality like a mustard seed that a man took and planted in his field.

(8) 13:33: "The kingdom of heaven is like yeast that a woman took and mixed into a large amount of flour until it worked all through the dough."

This time, it is a parable of the 'yeast' that reveals the local and internal development of the church.

'The kingdom of heaven is like yeast, that a woman took and mixed into a large amount of flour until it worked all through the dough..'	
Similarities	1) qualitative expansion; 2) strong gospel power; 3) expansion of the Church
Vivid simles	1) The kingdom of heaven is the expansion of the church, like the leaven that a woman took and put in a powder to make it all swell. 2) The kingdom of heaven is as powerful as the yeast that a woman took and mixed into a large amount of flour until it worked all through the dough.

(9) 13:36-43: "Explain to us the parable of the weeds in the field." He answered and said, "The one who sowed the good seed is the Son of Man. The field is the world, and the good seed stands for the sons of the kingdom. The weeds are the sons of the evil one, and the enemy who sows them is the devil. The harvest is the end of the age, and the harvesters are angels. As the weeds are pulled up and burned in the fire, so it will be at the end of the age. The Son of Man will send out his angels, and they will weed out of his kingdom everything that causes sin and all who do evil. They will throw them into the fiery furnace, where there will be weeping and gnashing of teeth."

Among the parables of the kingdom of heaven, it is the parable of the weeds that contrasts with the good seed. It shows that he always answers those who come to Jesus and seek the truth.

[weeds 'tares']

The weeds are the sons of the wicked.	
Similarities	1) interfere; 2) hurt; 3) harm
Differences	1) Weeds hinder growth, but the evil one hinders work. 2) Fallen plant stems are wounded, but the evil one injures the spirit and body. 3) Weeds harm fruit, but the evil one harms peace.
Vivid metaphors	1) Interfering weeds that hinder growth are the sons of the evil one. 2) The weeds that hurt are the sons of the evil one who scratches the stem. 3) Harming weeds are the sons of the evil one who prevents them from bearing fruit.

(10) 13:44: "<u>The kingdom of heaven is like a treasure hidden in a field</u>..."

If we turn the above simile into a metaphor this time, it becomes 'The kingdom of heaven is a treasure', allowing us to prepare for differences as well as similarities. Moreover, since the auxiliary idea 'treasure' alludes to similarities, it is very important to reveal the differences.

'The kingdom of heaven is a treasure hidden in a field.'	
Similarities	1) hidden; 2) very valuable; 3) be happy to receive grace
Differences	1) Heaven is in the sky, but the treasure is hidden on the earth. 2) Heaven is the grace we receive in the next life, but the treasure is the joy we get in this world.
Vivid metaphors	1) The very precious heaven is a treasure hidden in the sky. 2) The kingdom of heaven that is blessed with grace is the treasure of the next world.

You can clearly feel that the metaphor that contrasts with the differences has a more subtle and profound meaning than the similes that reveal only the similarities.

(11) 13:45: "The kingdom of heaven is like a merchant looking for fine pearls. When he found one of great value, he went away and sold everything he had and bought it."

As in the previous parable (10), the believer who discovered Christ was moved by the truth and expressed his joy in a simile.

Heaven is like a merchant looking for fine pearls.	
Similarities	1) honorable; 2) be satisfied
Vivid similes	1) Heaven is as noble as a merchant looking for fine pearls. 2) Heaven is as satisfying as a merchant looking for fine pearls.

People constantly seek pearls, but only when they possess the true pearl, Jesus Christ, can they find true satisfaction.

(12) 13:47: "And the kingdom of heaven is like a net that was let down into the lake and caught all kinds of fish. When it was full, the fishermen pulled it up on the shore. Then they sat down and collected the good fish in baskets, but threw the bad away."

It is the last parable of the kingdom of heaven, but it shows the apocalyptic judgment with a clear description of the real church.

The kingdom of heaven is like a net that is thrown into the sea and gathered all kinds of fish.

"And the kingdom of heaven is like a net that was let down into the sea ..."	
Similarities	1) separation of good and evil; 2) The last judgment
Vivid similes	1) In heaven, good and evil are separated like a net that was let down into the sea and collected all kinds of fish. 2) Heaven has the final judgment like a net that was thrown into the sea and collected various kinds of fish.

(13) 13:52: Jesus said, "Therefore, every teacher of the law who has been instructed about the kingdom of heaven is like the owner of a house who brings out of his storeroom new treasures as well as old ."

As someone who has understood the parable of the kingdom of heaven, Jesus compares the every teacher of the law who became the disciple of heaven (= the disciple of Christ who is learning in heaven) to the "(farmer) owner of the house" who has a barn. It can be seen that the owner of the house has both 'new (=new grain)' and 'old (=old grain)' in the barn. Then, what do 'new' and 'old' correspond to 'heavenly disciple'? Of course, the 'new' is the word of God, the New Testament, which is the 'new truth', and the 'old' is the 'old truth', that is, the Old Testament.

Therefore, the structure of this parable is a structure that has become a simile through a metaphor. In short, it is a double parable sentence.

If we translate the above simile into a metaphor, 'The scribe who is the disciple of heaven is the (farmer) owner of the house'.

'The teacher of the law who is a disciple of heaven is the (farmer) owner of the house.'	
Similarities	1) owning old and new; 2) reconcile the old with the new; 3) Old and new applications
Differences	1) The disciple owns the truth, but the householder owns the grain. 2) The disciple always harmonizes the Old Testament and the New Testament, but the owner of the house harmonizes the grain in a timely manner. 3) The disciple keeps the traditional truth and makes the new truth spring up, but the owner of the household applies grain according to the amount.
Vivid metaphors	1) A disciple who owns the old and the new is the owner of the truth watchdog. 2) A disciple of old and new harmony is the owner of a home with artistic sense. 3) Disciples applicating old and new are landlords who make new truths soar.

(14) 22:39: And the second is like it: "Love your neighbor as yourself."

It has already been quoted in Matthew 5:43 and 19:19, but for convenience, let's treat it here in terms of the generation of the parable.

It is written as a simile, but if it is translated into a metaphor, it is like 'Love for your neighbor is love for you.'

'Love your neighbor is love for you.'	
Similarities	1) kind; 2) patient; 3) do not envy
Differences	1) Love for you is the beginning, but love for your neighbor is the fruit. 2) Love for you is a physical care, but love your neighbor is a spiritual sacrifice.
Vivid metaphors	1) Your kindness for your neighbor is the beginning of love for you. 2) Long patience for your neighbor is looking after your sprit.

(15) 23:37: "How often I have longed to gather your children together, as a hen gathers her chicks under her wings, but you were not willing."

The following is a vivid simile after revealing the similarities between the primary and secondary ideas.

How often I have longed to gather your children together, as a hen gathers her chicks under her wings,..	
Similarities	1) call a young cub; 2) protection in a warm embrace; 3) defend from enemy attacks
Vivid similes	1) As a hen gathers her chicks under her wings, so I gather your children together is a warm embrace. 2) As a hen gathers her chicks under her wings, so I gather your children together is the best defense.

(16) 25:32: "All the nations will be gathered before him, and he will separate the people one from another as a shepherd separates the sheep from the goats, putting the sheep on his right hand and the goats on his left."

The judge's judgment of all nations is expressed in a simile by comparing the shepherd's distinction between sheep and goats. To put it simply, 'The judge's final judgment is (   ) like a shepherd's distinction between sheep and goats'.

'The judge's final judgment is ( ) like a shepherd's distinction between sheep and goats'	
Similarities	1) solemn; 2) dignified; 3) relentless
Vivid similes	1) The judge's final judgment is as solemn as the shepherd's distinction between sheep and goats. 2) The judge's final judgment is as dignified as the shepherd's distinction between sheep and goats. 3) The judge's final judgment is as cruel as a shepherd's distinction between sheep and goats.

* The above 16 parables in the Gospel of Matthew were converted into more vivid metaphors. We clearly feel the more sensitive adjectives in (3) and (16) derived from simile than the verbs in the examples (12-13) .

3.2 The Gospel of Mark

(1) 4:15: "Some people are like seed along the path, where the word is sown; As soon as they hear it, Satan comes and takes away the word that was sown in them."

The parable of the kingdom of God is expressed as the parable of the sower. In other words, the 'seed' is the 'word of God' and the 'side of the road' is the 'human heart'. To summarize the above expression and make a creative metaphor, it is as follows.

'The heart of a person is the roadside.'

Let's transform this according to our vivid metaphor making principle.

' The heart of a person is the roadside.'	
Similarities	1) to be hardened; 2) hard to take root
Difference	1) Hardened at the footsteps of people walking along the road, but people's hearts are hardened by numerous philosophies and theories. 2) The sower sows seeds along the path, but you sow the Word of God in people's hearts.
Vivid simile	1) The hardened path is the heart of a person sown with seeds. 2) The hardened heart is the roadside where the word is sown.

If we change this to 'the human heart is on the roadside', the vivid metaphor is as follows: 'The heart of those who cannot take root is the path where the word is sown.'

(2) 4:16-17: "Others, like seed sown on rocky places, hear the word and at once receive it with joy. But since they have no root, they last only a short time. When trouble or persecution

comes because of the word, they quickly fall away."

Here is a summary of the above analogy:

"The stone field is pressure."

Let's transform this into a vivid metaphor:

"The stone field is pressure."	
Similarities	1) bump into; 2) sick; 3) scarring; 4) let them go
Differences	1) Stone fields leave scars on the body, but pressure leaves scars on the mind. 2) A rocky field causes one to depart from the field, but pressure causes one to depart from faith.
Vivid metaphors	1) Hitting a painful stone field is pressure that leaves scars on the body. 2) A stone field that leaves scars is pressure to leave the field.

(3) 4:18-19: "Still others, like seed among thorns, hear the word; but the worries of this life, the deceitfulness of wealth and the desires for other things come in and choke the word, making it unfruitful."

The above verse is summarized as follows.

'The thorns are greed.'

'The thorns are greed.'	
Similarities	1) stab; 2) sick; 3) leave scars; 4) make it unfruitful
Differences	1) Thorns grow in fertile soil, but greed arises in the human heart. 2) The thorns produce plant fruit, but the greed hinders plant fruit.
Vivid metaphors	1) A thorn that hurts from being stabbed is a greed that arises in the soil. 2) The thorns that leave scars are greed that hinders the fruiting.

(4) 4:30-33: And he said, "What shall we say the kingdom of God is like, or what parable shall we use to describe it? It is like a mustard seed, which is the smallest seed you plant in the ground. Yet when planted, it grows and becomes the largest of all garden plants, with such big branches that the birds of the air can perch in its shade."

The preceding parable of the sower speaks of the growth process of the gospel itself, but this parable of the mustard seed refers to the growth of the church. Although we have already dealt with it in the Gospel of Matthew, this time, if we consider 'the kingdom of God' and 'mustard seed' as 'church' and transform them into our vivid metaphors, it is as follows.

"The church is a mustard seed."

The church is a mustard seed.	
Similarities	1) the beginning is negligible as a decimal; 2) grow; 3) Animals rest
Differences	1) A church starts with a small number, but a mustard seed starts with a small shape. 2) The church grows through faith and practice, but the mustard seed grows through caring. 3) The saints rest in the church, but the birds rest in the mustard tree.
Vivid metaphors	1) A church with a small beginning is a mustard seed that few grows. 2) The church where animals rest is the mustard tree of the saints.

3.3 The Gospel of Luke

(1) 5:4: When he had finished speaking, he said to Simon, "Put out into deep water, and let down the nets for a catch."

Theologians believe that the above 'deep' is in the middle of the sea, but it is also interpreted as 'the depth of grace', creating the following metaphor.

"<u>The deep church</u> is <u>the deep sea</u>."

Let's transform this into our vivid analogy making principle.

"<u>The deep church</u> is <u>the deep sea</u>."	
Similarities	1) isolated; 2) many living things; 3) Treat many living things
Differences	1) The deep sea is isolated, but the remote church has deep grace. 2) The deep sea has many fish, but the deep church has many saints. 3) The deep sea catches all kinds of fish, but the deep church catches even non-believers.
Vivid metaphors	1) The remote church is the sea with many saints. 2) A deep church that treats many people is a deep sea.

(2) 5:38: "<u>New wine</u> must be poured into <u>new wineskins</u>."

First of all, the above parable has two metonymy methods, and the real meaning of the main idea 'new wine' is 'new spirit' or 'new faith'. The real meaning of the auxiliary concept 'new wineskins' is 'a new society' or 'new norms'. As a secondary parable process, two similes arise: 'New wine overflows like new faith ( )' and 'New wineskins are as good ( ) as new society'. Therefore, analogies such as 'a new faith must be put into a new social system' are established. In the end, if you look at it as a whole, it is a sentence of a metosimile (=metonymy + simile) by first passing through metonymy to achieve a simile.

The two similes are as follows:

① 'New wine overflows ( ) like new faith.

Similarities	1) vitality, 2) ripple power
Vivid similes	1) New wine overflows with vitality like new faith. 2) New wine overflows with ripples like new faith.

② 'New wineskins are as good as new social systems ( ).'

Similarities	1) elasticity; 2) efficacy
Vivid similes	1) New wines are as resilient as new social system. 2) New wines are as effective as new social systems.

After going through this second metaphorical process, the

following metaphorical sentence is finally expressed. ‘A new, resilient faith must be put into a new, effective social system.’

(3) 15:4-7: “Suppose one of you has a hundred sheep and loses one of them. Does he not leave the ninety-nine in the open country and go after the lost sheep until he finds it? And when he finds it, he joyfully puts it on his shoulders and goes home. Then he calls his friends and neighbors together and says, ‘Rejoice with me; I have found my lost sheep.’I tell you that in the same way there will be more rejoicing in heaven over one sinner who repents than over ninety-nine righteous persons who do not need to repent.”

Summarizing the above verse, the metaphor becomes as follows:

“The repentant sinner is a lost sheep.”

Let's transform this into our vivid metaphor making principle.

“The repentant sinner is a lost sheep .”	
Similarities	1) the ratio is very insignificant, 100:1; 2) to be abandoned; 3) I'm glad I found it
Differences	1) The lost sheep belongs to the shepherd, but the repentant sinner belongs to God. 2) Finding the lost sheep is the joy of friends and neighbors, but repentant sinners are the joy of the whole kingdom of God.
vivid metaphors	1) The repentant sinner, who is insignificant by 100:1, is a lost sheep belonging to God. 2) (B=A) The abandoned sheep is a repentant sinner who depends only on the shepherd. 3) A sheep that is glad to find is a repentant sinner who is the object of public joy.

(4) 15:8-10: “Or suppose a woman has ten silver coins and loses one. Does she not light a lamp, sweep the house and search carefully until she finds it? And when she finds it, she calls her friends and neighbors together and says, ‘Rejoice with me; I have found my lost coin.’ In the same way, I tell you, there is rejoicing in the presence of the angels of God over one sinner who repents.”

Summarizing the above verse is the following metaphor:

“A sinner who repents is ten drachmas lost and found again.”

If we transform this according to our principle of making a vivid metaphor, it is as follows:

“A sinner who repents is ten silver coins lost and found again.”	
Similarities	1) the ratio becomes more valuable with 10:1; 2) The sincerity of finding is great; 3) happy to find
Differences	1) Ten silver coins belong to the housewife, but the sinner belongs to God. 2) Finding the lost silver coins is public joy, but repentant sinners are the joy of the whole kingdom of God.
Vivid metaphors	1) The precious sinner is the rediscovered ten silver coins belonging to the housewife. 2) Sinners found with sincerity are ten silver coins that the kingdom of God is pleased with.

(5) 15:11-31, And he said to them, "There was a man who had two sons. The younger one said to his father. ‘Father, give me my share of the estate.’ So he divided his property between them. Not long after that, the younger son got together all he had, set off for a distant country and there squandered his wealth in wild living. After he had spent everything, there was a severe famine in that whole

country, and he had began to be in need. So he went and hired himself out to a citizen of that country, who sent him to his fields to feed pigs. He longed to fill his stomach with the pods that the pigs were eating, but no one gave him anything. When he came to his senses, he said, 'How many of my father's hired men have food to spare, and here I am starving to death! I will set out and go back to my father and say to him: Father, I have sinned against heaven and against you. I am no longer worthy to be called your son; make me like one of your hired men.' So he got up and went to his father. But while he was still a long way off, his father saw him, was filled with compassion for him; he ran to his son, threw his arms around him and kissed him. The one said to him, 'Father, I have sinned against heaven and against you. I am no longer worthy to be called your son.'But the father said to his servants, 'Quick! Bring the best robe and put it on him. Put a ring on his finger and sandals on his feet. Bring the fattened calf and kill it. Let's have a feast and celebrate. For this son of mine was dead and is alive again; he was lost and is found.' So they began to celebrate. Meanwhile, the older son was in the field. When he came near the house, he heard music and dancing. So he called one of the servants asked him what was going on. 'Your brother has come,'he replied, 'and your father has killed the fattened calf because he has him back safe and sound.' The older brother became angry and refused to go in. So his father went out and pleaded with him. But he answered his father, 'Look! All these years I've been slaving for you and never disobeyed your orders. Yet you never gave me even a young goat so I could celebrate with my friends. But when this son of yours who has squandered your property with prostitutes comes home, you kill the fattened calf for him!' 'My son,' the father said, 'you are always with me, and everything I have is yours. But we had to celebrate and be glad, because this brother of yours was dead and is alive again; he was lost and is found.'"

The above parable of the prodigal son, the lost child, clearly shows that Luke's Gospel is the most literary of the four Gospels. Summarizing the above verse, the metaphor becomes as follows:

"The second son is a repentant sinner."

Based on this summary, let's make the following vivid metaphor, focussing on the father as well.

“A father’s love is the sun.”	
Similarities	1) ratios of 2:1 become very valuable; 2) A father’s love and the sun are hot. 3) A father’s love and the sun are unchanging.
Differences	1) A father’s love is warm memory, bur the love of sun is the light of nature 2) A father’s love is forgiveness, but the love of the sun is unconditional.
Vivid metaphors	1) A father’s warm love is the sun filled with memories. 2) A father’s unchanging love is the sun of infinite forgiveness.

This time, let’s focus on the son who repented and returned home, and create the following vivid metaphor.

‘The second son who repented was a victorious warrior.’	
Similarities	1) A resultant victory 2) Welcomed home
Differences	1) The second son won against the evil of the world, but the warrior against the enemy of the war. 2) The second son won with bold determination, but the warrior won a strong physical victory.
Vivid metaphors	1) The victorious second son was a warrior against the evil of the world. 2) The second son who was welcomed home was a warrior with bold determination.

3.4 The Gospel of John

The great feature of the parables of the Gospel of John is that there are various expressions that declare the attributes of Jesus Christ.

(1) 10:11-12: “I am the good shepherd, The good shepherd lays down his life for the sheep. The hired hand is not the shepherd who owns the sheep. So when he sees the wolf coming, he abandons the sheep and runs away.”

The ‘I’ in the above verse is Jesus Christ. Therefore, the metaphor of ‘I am the Good Shepherd’ is established. Now, let's turn it into a vivid metaphor by revealing the similarities and differences between the main idea 'I' and the secondary idea ‘The Good Shepherd’.

I am **the good shepherd**.	
Similarities	1) lay down your life; 2) grow as a living being; 3) guide you safely
Differences	1) Jesus is raised spiritually, but the shepherd is raised physically. 2) Jesus leads with the word, but the shepherd leads with his voice and stick. 3) Jesus lay down his life for our sins, but the shepherd lays down his life for wolves.
Vivid metaphors	1) Jesus, who is raised with food, is the good shepherd of spiritual growth. 2) Jesus, who gives safety, is the good shepherd who leads with the word. 3) The sacrificial Jesus is the Good Shepherd of the Atonement.

(2) 6:48-51: "I am the bread of life. Your forefathers ate the manna in the desert, yet they died. But here is the bread that comes down from heaven, which a man may eat and not die. I am the living bread that came down from heaven. If anyone eats of this bread, he will live forever. The bread is my flesh, which I will give for the life of the world."

The main concept 'I' in the above verse is also Jesus Christ. Therefore, it becomes a metaphor, "I, Jesus Christ, am the bread of life." Converting this to a vivid metaphor:

'I am the Bread of Life.'	
Similarities	1) give strength; 2) save people
Differences	1) Jesus gives spiritual strength, but bread gives energy to the body. 2) Jesus saves life with his word, but bread saves life with grain.
Vivid metaphors	1) Jesus, who gives strength, is the bread of spiritual life. 2) Jesus, who saves people, the word itself is the bread of life.

As we examined in the synecdoche example (9), the real meaning of 'bread' is 'food', and is used as a representative of the whole as a part of the same kind, so it is an synecdoche style.

(3) 7:37-39: On the last and greatest day of the Feast, Jesus stood and said in a loud voice, "If anyone is thirsty, let him come to me and drink. Whoever believes in me, as the Scripture has said, streams of living water will flow from within him."

The above verse is also a metaphorical expression of 'I, Jesus, am a river of living water'.

'I am a river of living water.'	
Similarities	1) Thirst comes; 2) Quench thirst
Differences	1) A spiritual thirst comes to Jesus, but a thirsty person comes to the river of living water. 2) Jesus quenches spiritual thirst with his words, but the river quenches thirst with flowing water.
Vivid metaphors	1) Jesus is the river of spiritual and living water that those who are thirsty seek. 2) Jesus, who quenches thirst, is a river of living water full of the Word.

(4) 8:12: When Jesus spoke again to the people, he said, "I am the light of the world. Whoever follows me will never walk in darkness, but will have the light of life."

This verse is a metaphor for Jesus' sermons about the light of the world when he saw that he had turned on a lamp in the courtyard of the temple. Analyzing this with the vivid metaphor principle, it is as follows.

'I am the light of the world.'	
Similarities	1) light up the darkness; 2) warm; 3) revive
Differences	1) Jesus actively seeks out and shines, but the light of the world is static. 2) Jesus is heated with the Holy Spirit, but the light of the world warms the body. 3) Jesus revives people's souls, but the light of the world revives all living objects.
Vivid metaphors	1) Jesus, who illuminates the darkness, is the light of the world that actively seeks and illuminates. 2) Jesus, who warms us, is the true light that shines through the Holy Spirit. 3) Jesus, who gives life, is the true light that revives the spirit.

(5) 15:5: "I am the vine; you are the branches. If a man remains in me and I in him, the will bear much fruit; apart from me you can do nothing."

Two metaphors are contrasted in this passage. One is 'I, Jesus Christ, am the vine.' and the other is 'You Christians are the branches.', which describes the characteristics of the relationship between Jesus Christ and Christians.

First, let's change 'I am the vine.' into a vivid metaphor.

'I am the vine.'	
Similarities	1) invigorate; 2) combine; 3) to bear fruit
Differences	1) Jesus gives strength to the soul, but the vine gives strength to the body. 2) Jesus joins the Christian, but the vine joins the branch. 3) Jesus produces the fruit of the word, but the vine produces grapes.
Vivid metaphors	1) The uplifting Jesus is the vine that gives spiritual strength. 2) The uniting Jesus is the connecting vine with the Christian. 3) Jesus, who bears fruit, is the vine of the Word.

This time, let's change "You Christians are branches." into a vivid metaphor.

'You Christians are branches'	
Similarities	1) live in union; 2) bear fruit
Differences	1) Christians are joined to Jesus Christ, but the branches are joined to the tree. 2) Christians bear the fruit of the Spirit, but the branches bear grapes.
Vivid metaphors	1) A Christian living in union is a branch of Jesus. 2) A Christian who bears fruit is a branch of the Holy Spirit.

Exercises

Practice changing the parables of Psalms and Proverbs into vivid parables

(1) Psalm 1:1 "Blessed is the man who is like a tree planted by streams of water."

➢ What are the similarities between the two?

[ ]

➢ A vivid simile?

[ ]

(2) Psalm 1:4 'The wicked are like chaff that the wind blows away.'

➢ What are the similarities between the two?

[ ]

➢ A vivid simile?

[ ]

(3) Psalm 18:2 'The Lord is my rock.'

➢ What are the similarities, differences, and vivid metaphors between the two companies?

'Jehovah is my rock.'	
Similarities	1)
Differences	1)
vivid metaphors	1)

(4) Psalms 128:3 'The children who sit around your table will be like olive shoots.'

➢ What are the similarities between the two?

[ ]

➢ A vivid simile?

[ ]

(5) Psalm 141:2 'Make my prayers like incense before the Lord…'

➢ What are the similarities between the two?

[ ]

➢ A vivid simile?

[ ]

(6) 144:4 'Man is like steam...'

➢ What are the similarities between the two?

[ ]

➢ A vivid simile?

[ ]

(7) Proverbs 6:11 'Poverty will come upon you like a robber, and want will come upon you like a soldier.'

There are two similes, but they can be reduced to one.

'Poverty and want will come ( ) like robbers and soldiers.'

➢ What are the similarities between the two?

[ ]

➢ A vivid simile?

[ ]

(8) 6:23 related to Proverbs 6:20 'For a (father's) command is a lamp, a (mother's) law is a light, and a (parent's) rebuke is a way of life.'

Three metaphors develop, find similarities and differences in each, and then create a vivid metaphor.

1) 'Father's command is a lamp'

'Father's command is a lamp'	
Similarities	1)
Differences	1)
Vivid metaphors	1)

2) 'Mother's law is light, and···'

'Mother's law is light, and...'	
Similarities	1)
Differences	1)
Vivid metaphors	1)

3) 'Because rebuking parents' discipline is the way of life'

'Because rebuking parents' discipline is the way of life'	
Similarities	1)
Differences	1)
Vivid metaphors	1)

(9) Proverbs 20:5 'The thoughts of a man's heart are like deep waters...'

➢ What are the similarities between the two?

[ ]

➢ A vivid simile?

[ ]

(10) Proverbs 20:15 'A wise lips are a more precious treasure.'

'A wise lips are a more precious treasure.'	
Similarities	1)
Differences	1)
Vivid metaphors	1)

Appendix : Six Principles and Constraints of Generating Metaphors

Now, let's look at what kind of nouns are chosen as keywords to make an ideal vivid metaphor. You will be able to persuade the professor of essay scoring to get high marks and live a happy life where you receive empathy and recognition through excellent metaphors in your daily life. So, let's review and summarize which nouns must be combined to produce vivid metaphors for all nouns, including those in which the main and auxiliary ideas are transformed from adjectives to nouns.

First, the nouns can be roughly classified as shown in the table below.

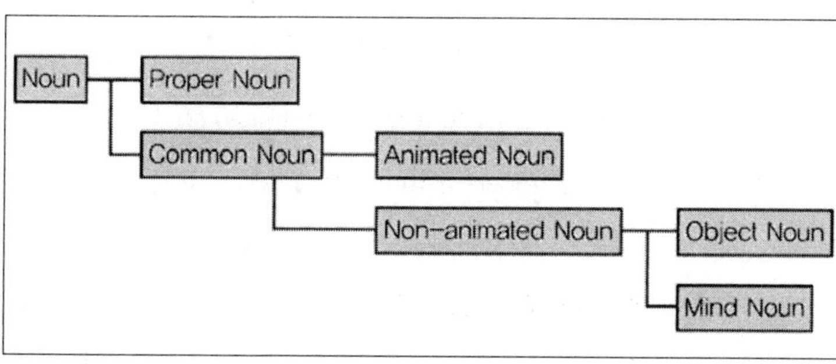

First, nouns can be divided into proper nouns and common nouns.

(1) Proper nouns: There is only one object with a unique name such as sun, moon, earth, Mississippi river, Pacific Ocean, and Ontario lake, and if a metaphor is achieved with object nouns, more vivid and dynamic images can be created.

(2) Common nouns: Unlike proper nouns, common nouns that have names and objects belong to this category. These common nouns are further subdivided into animated nouns and non-animated nouns. Non-animated nouns can be divided into object nouns and mind nouns.

(3) Animated nouns : When subclassed as nouns with the qualities of being alive and activated, nouns with the qualities of [+human] and those with the qualities of [-human, (+no-human)], it is divided into animals and plants. In general, many analogies can be used by comparing 'man' to other animals and plants.

[Example] People (dad, mom, older brother, younger brother, friend, etc.), animals (tiger, dog, cow, fish, etc.), plants (flowers, trees, vegetables, etc.)

(4) Inanimate nouns: Objects with inactivated qualities artificially created by humans. These are object nouns that refer to things such as work and objects. It is broadly classified as a mind noun with [+abstract, -concrete] qualities that indicate , emotion, and spirit.

(5) Object nouns (+concrete): Things or objects that have a form

and can be seen, heard, or felt realistically.

[Example] Books, desks, chairs, paper, airplanes, ships, automobiles, robots, travel, schools, movies, etc.

(6) Mind nouns (-concrete, +abstract): Nouns expressing psychology, thoughts, minds, emotions, etc.

[Example] Beauty, courage, talent, heart, patience, etc.

In order for the above nouns to create a metaphor, it is a universal principle that a non-animated noun is combined with an animated noun or a mind noun is combined with an object noun. This is done under the following six principles or constraints.

1) First, animated nouns must be combined with animated nouns or proper nouns to create metaphorical images.

(Example 1) That young man (A) is a tiger (B).

(Example 2) Mother is the sea.

2) Second, the metaphor is natural when inanimate and specific object nouns are combined with animated nouns, proper nouns, and object nouns containing emotional qualities.

(Example 3) Books are friends.

(Example 4) The soccer field is bean sprouts.

(Example 5) TV is the moon.

3) Third, when abstract mind nouns are combined with proper nouns or animated nouns with human qualities, metaphorical imagery is most natural.

(Example 5) The sun is passion.

(Example 6) My heart is a lake. Please row your boat.

4) Fourth, if the similarity between two nouns is too similar, they belong to a category with the same qualities and there is no difference at all, so metaphorical imaging cannot be achieved.

[Example 7]: Aircraft carrier is submarine.

Since 'aircraft carrier' and 'submarine' have the qualities of 'warship' and belong to the same category, metaphorical imagery is not achieved.

5) Fifth, even when two nouns have opposite qualities, imaging cannot be achieved.

[Example 8] War is peace.

If two nouns have opposite semantic qualities, such as ‘War is peace’ , it is impossible to image because they are opposed to each other and there is no similarity.

6) Sixth, verbs and adjectives can be converted into nouns by adding ‘-um’, ‘-eum’ or ‘-gi’ to change their form. In this case, most of the things converted from verbs to nouns are ‘action nouns’, so only some metaphors are possible, but most become explanatory sentences. On the other hand, those converted from adjectives to nouns are ‘mind nouns’ of abstract qualities such as human psychology, mind, and emotions.